RÚSSIA DE TODOS OS CZARES

VERSÃO COMENTADA DA RÚSSIA À UNIÃO SOVIÉTICA

Antonio Carlos Gaio

RÚSSIA
DE TODOS
OS CZARES

VERSÃO COMENTADA
DA RÚSSIA À UNIÃO SOVIÉTICA

1ª Edição

VERMELHO MARINHO

Rio de Janeiro

2012

Copyright© 2012 **Antonio Carlos Gaio**

Título Original: Rússia de todos os Czares - Versão Comentada da
Rússia à União Soviética

Editor-chefe:
Tomaz Adour

Revisão:
Maria Estela Barbosa

Editoração Eletrônica:
Juliana Albuquerque

Capa:
Eduardo Nunes

Texto revisado segundo o novo Acordo Ortográfico da Língua Portuguesa.

G143r Gaio, Antonio Carlos
      Rússia de todos os Czares - Versão Comentada da
      Rússia à União Soviética / Antonio Carlos Gaio
      Rio de Janeiro: Vermelho Marinho, 2012.
      108 p: il. 14x21 cm.

      ISBN: 978-85-64298-81-1

      1. História Universal. 2. União Soviética. 3. Rússia.
      I. Título.

               CDD: 909
               CDU: 93

EDITORA VERMELHO MARINHO USINA DE LETRAS LTDA
Rio de Janeiro – Departamento Editorial:
Rua Olga, 152 – Loja B – Bonsucesso – Rio de Janeiro - RJ
CEP: 21041-140
www.vermelhomarinho.com.br

SUMÁRIO

APRESENTAÇÃO

O QUE ME LEVOU A ESCREVER "RÚSSIA DE TODOS OS CZARES"

O meu interesse pela Rússia foi despertado aos nove anos de idade em razão dos testes que a União Soviética realizava com a bomba atômica e de hidrogênio, apavorando o chamado mundo livre, entre democracias e ditaduras. Ouvia falar da Guerra Fria e imaginava uma ambiência congelada e soturna, mas nem desconfiava da guerra real entre capitalismo e comunismo. Até ouvir pelo rádio Garrincha entortar os russos a caminho de nos levar à conquista da primeira Copa do Mundo, meses depois do Sputnik e três anos antes do cosmonauta Yuri Gagarin viajar ao espaço sideral (o primeiro). No Colégio Mello e Souza, graças ao reatamento de relações diplomáticas entre Brasil e União Soviética e à ousadia da diretora Isa de Mello Campos, que incluiu o Russo dentre os idiomas a serem lecionados, saí-me tão bem que recebi um convite com o fito de eu me integrar à burocracia soviética na embaixada. Porém o golpe de 1964 cortou uma oportunidade que poderia ter sido o meu fim precoce no Brasil, visto que o Mello e Souza encerrou suas atividades por conta de "os russos estão chegando". Eis que finalmente surge a hora e a vez de Carlos Lacerda, UDN, Igreja Católica Apostólica Romana, os meios de comunicação e os militares, perfeitamente irmanados, dominarem a cena e me impingirem colheradas de purgante anticomunista. E o tanto que metiam medo era o que me levava a mais conhecer o que havia por trás, não especialmente da União das Repúblicas Socialistas Soviéticas, vulgo URSS, e sim da Rússia. Estimulado pelas reverências que se faziam à literatura e ao teatro russo, um marco na concepção dramatúrgica;

pelos delirantes aplausos de plateias burguesas para o balé russo; pelo violino mágico que caracteriza o som da música clássica russa; e pela pintura abstrata, para, com esses olhos que a terra há de comer, captar só o que a alma sente. Causou-me enorme impacto ver minha amiga Ivone Pereira, ardorosa comunista, viajar a Moscou em plena ditadura militar, a convite do Partido Comunista, Seção Internacional, a fim de assistir à parada militar em comemoração a mais um aniversário da Revolução Russa de 1917, aos acordes da Internacional Socialista. Entristeci-me com a morte haver tragado o puro idealismo de uns poucos abnegados que me eram caros, oferecendo-se em holocausto em nome do imperativo comunismo soviético quebrar lanças para pôr em prática a utopia de sermos todos iguais.

Que aventura não seria conhecer os bastidores da temível KGB e extrair, sem tortura, dados valiosos que justificariam o brotar de meu interesse em historiar a evolução da Rússia! Desde como nasceu e se consolidou como país, girando em torno dos czares, até chegar ao comunismo, onde detalho suas intempéries no século XX não com a visão de um comunista, mas procurando desarticular conceitos arraigados e difundidos pelos que demonizam os responsáveis pelo fim da propriedade privada.

Sabedor de que no Brasil o interesse se concentra primordialmente no maior fenômeno político do século XX, o comunismo na União Soviética, pouco se debruçando sobre a Rússia dos czares, procurei tornar "Rússia de todos os Czares" atraente do ponto de vista informativo, tanto para a faixa infantojuvenil quanto para a universitária, enveredando pela cultura russa para mergulhar em sua alma, na tentativa de desvendar o caráter sanguinolento com que construiu sua civilização permeada pela tragédia, a imprimir sua personalidade singular derramada em emotividade exacerbada ao longo de sua história, com a Igreja Ortodoxa nos seus calcanhares.

Para firmar o propósito de escrever "Rússia de todos os Czares", viajei à Rússia em 2002 no intuito de pesquisar *in loco* e colher informações, embora a Rússia já estivesse toda em minha cabeça, à espera de que eu a dissecasse. Considerando minha formação de economista, estudioso de matérias correlatas à História, Política e Antropologia, encontrei-a em pleno sobressalto com dificuldade para reescrever o seu passado perante Stalin - será que passa por um silencioso processo de reabilitação?

É inegável a transformação por que passou a União Soviética na era stalinista, que evoluiu de um país agrícola rumo ao espaço sideral. Mas o preço que se pagou foi muito alto. Milhões de soviéticos morreram de fome durante o período da coletivização, quando se agregaram pequenas propriedades agrícolas em cooperativas estatais. Há quem ainda afirme que a URSS era aliada de Hitler no eclodir da 2ª Guerra Mundial. Outros batem no peito e afiançam que os americanos é que ganharam a guerra, ignorando a participação decisiva dos comunistas na queda de Berlim e do regime nazista ao custo de 27 milhões de vítimas. Tudo concorrendo para corroborar a imagem da União Soviética ou da Rússia como grande vilã aos olhos da comunidade internacional.

É bem verdade que a Rússia nunca se preocupou com sua imagem. No passado czarista, era um país frio e distante dos grandes centros, não cercado por mares e com a Sibéria arrastando-a para o isolamento. O comunismo piorou com a imagem de como era vista no exterior por adotar uma ideologia com cara de poucos amigos e de não fazer a menor concessão, relativizando a liberdade com verdades absolutas. A história da Rússia consubstancia a evolução de uma personalidade independente e soberana. Em concomitância com uma história de opressão por soberanos detentores do poder que se incluem entre os mais cruéis que o mundo já conheceu.

A Rússia cresceu por entre invasores tártaros que a verteram em fogo, cinzas e destroços ao se assenhorearem da Rússia imberbe, assentando-se nas estepes da Rússia Branca, e originando no russo um temperamento impulsivo e de espírito arraigado à sua terra, desconfiado dos estrangeiros e submisso a um poder autoritário. A prova é que quando Napoleão ocupou Moscou, ela já ardia em chamas. Os russos não titubearam em consumir no fogo a cidade que evoca a nação, bem como os estoques necessários para alimentar a população de modo a privar os soldados franceses de comida. Do resto se encarregaria o General Inverno, que fez questão de dizimá-los em solo russo. A História iria se repetir: o General Inverno tratou de fritar os neurônios de Hitler, em fogo brando.

Mas foi Lenin quem iria promover um corte na História russa, mais profundamente do que ninguém, com a doutrina do comunismo. Como ideal, a primazia dos interesses da coletividade prevalecendo sobre os interesses individuais, senão os colocando em segundo plano. Desmontar toda ordem baseada no capitalismo e eliminar as classes sociais por meio da ditadura do proletariado. Pesou na balança a conivência da Igreja Ortodoxa com a degradação moral do czarismo, imersa numa catedral de regalias e assentada ao lado do trono. As execuções e os sacrifícios impostos à população se deram no curso da maior luta de classes que o mundo jamais assistiu, ao se procurar resgatar os camponeses de abjetas condições de vida e de trabalho, degradados que foram por forças interessadas em conservá-los analfabetos e sob exploração. A ordem era não pagar a dívida externa e execrar os juros, os lucros, os dividendos, priorizando as necessidades do ser humano - quase uma religião.

Golpeou-se indiscriminada e arbitrariamente todos os segmentos da sociedade russa ainda movidos pelo ranço elitista fomentador da divisão em classes sociais na razão direta de defender conquistas avassaladoras sobre símbolos capitalistas como a agiotagem, a especulação e a acumulação da riqueza em tão poucas mãos - o que era um acinte e um convite à guerra para saciar a fome.

A redistribuição igualitária no crescimento da riqueza nacional teria que compensar a supressão do direito de reclamar em praça pública e de organizar passeatas. Somente em assembleias autorizadas por uma casta burocrática, que passou a controlar as massas e cuidar para que mantivessem o *status* adquirido com o comunismo. A fome e a miséria, mãe de todos os males, o direito de ir e vir e o capítulo das liberdades individuais não podem se sobrepor aos interesses maiores da coletividade - a regra básica.

O czar Pedro, o Grande, faria com que a Rússia deixasse de olhar para o seu umbigo, provocando tremenda fermentação intelectual que permitiu a invasão do país por ideias e livros ocidentais que arejaram a essência de sua alma. Pondo-a no caminho certo para transformá-la numa nação altamente intelectualizada e do melhor balé do mundo. Não se pode negar que em toda a sua arte e cultura havia uma universalidade que, quando repercutida, transcendia o tempo e o local de criação, conferindo-lhe um estranho poder. O que a distinguiu das realizações culturais de outras nações, pois evocou de forma mais vibrante as raízes espirituais do povo russo e o enquadramento com que montou o quebra-cabeça do país de dimensões continentais. A revelar bipolaridade em sua psique, alternando paixão com desespero, alegria com depressão, o que eleva a sensibilidade russa a um grau de humanismo que transpõe as barreiras políticas. Dotada do saber crítico capaz de desbravar o selvagem que habita na condição humana.

Muito embora desde que obras-primas foram escritas, encenadas, compostas, pintadas e produzidas a partir do século XVIII, estiveram sujeitas à censura de czares de todos os gêneros e estilos que o destino até hoje reserva à Rússia. Ato indigesto que foi punindo o seu cidadão que, de censura em censura, tornou-se um dos maiores consumidores de cultura do mundo. Cavalar incoerência! A grotesca contradição que consagra a "Rússia de todos os Czares".

CAPÍTULO 1
COMO SE CONSTRÓI UMA RÚSSIA

Essa é a história de como se constrói uma Rússia. De com quantos paus se faz uma canoa. Atrás de uma paliçada se constrói uma arena, atrás de pesadas toras de cedro se erigiu a cidade de Moscou em 1147, cujas muralhas, de tanto os invasores tocarem fogo na madeira, acabaram por se transformar numa verdadeira muralha que resistiu ao brandir das espadas e das estocadas do fogo inimigo. Numa verdadeira fortaleza, o significado de Kremlin, que abriga no seu interior inúmeras catedrais, dentre as quais Dormição, Anunciação, São Miguel Arcanjo e o Campanário de Ivan, o Grande. Além da Câmara Facetada (1491) e do salão de coroação e banquete de núpcias, o Palácio do Kremlin (1849), sede de gala dos czares, e o Palácio do Patriarca, sede do chefe da Igreja Ortodoxa Russa.

Palácio do Kremlin

Afora e à frente do Kremlin, a Praça Vermelha, que no russo *krasnaya* significa também belo. Famosa pelo desfile de armamentos comemorativo do Dia do Trabalhador e da Revolução Russa, em que sobressaíam os mísseis. Não era à toa que se associava o vermelho do sangue ao comunismo; e o espírito do confronto, o sangue derramado e o sangue que corre nas veias, à vitalidade.

Praça Vermelha

A história da Rússia se inicia nos bárbaros. Nos selvagens, silvícolas, autóctones, nativos ou fetichistas - o que quer que sejam chamados -, na evolução de uma personalidade independente e soberana, que não depende senão de si mesma. Na evolução de uma lenda que se expressa por sua arquitetura, representada na águia bicéfala, uma cabeça para a Europa e outra para a Ásia. Símbolo posteriormente reproduzido pelos figadais inimigos americanos para espelhar a agudeza de seu raciocínio e a visão de logo passar à ação e não gastar tempo com elucubrações.

Uma história de opressão, por soberanos provenientes de seu próprio e futuro povo, dos quais alguns se incluem entre os mais cruéis que o mundo já conheceu, o que explica por que o povo russo é tão arraigado à sua terra, desconfiado dos estrangeiros e submissos a um poder autoritário. "A resistência da Rússia se tornou notória", disse o poeta Evtouchenko, "posteriormente ficou insuportável!".

O nome de russo foi sendo consolidado ao longo do tempo, associado à imagem de seu animal-símbolo: o urso. Correlacionado ao homem másculo, rude e cruel, quando a situação exigia. Privada de fronteiras naturais, a Rússia sofreu diversas invasões, uma após a outra. Através de seu leste, hunos e tártaros. A seu oeste, *vikings*, godos e teutônicos. Os kazãs, povo de mercadores estabelecidos na região do Baixo Volga, comerciavam com os eslavos que viviam na região das florestas onde hoje se localizam Kiev, Novgorod e Moscou, próximos da rota comercial cujo acesso conduzia a mares navegáveis na extremidade báltica. Aparentados aos eslavos da Europa Central, estes eslavos do leste sucederam aos outros invasores destituídos do caráter civilizatório, tornando os russos cada vez mais resistentes, como ficou de sua fama. E semear as origens históricas do estado russo, que corresponderia à extensão de terra entre os mares Báltico (golfo da Finlândia) e Negro, cortada pelos rios Volkov e Dnieper, por meio dos quais comerciantes escandinavos penetravam em terras eslavas para alcançar Bizâncio (antigo império romano do Oriente, centrado na sua capital Constantinopla, hoje Istambul). Quando, ocasionalmente, combatiam o povo local, valendo-se dos guerreiros *vikings*. Ao longo de seu percurso, fundaram os burgos fortificados de Novgorod e Kiev. Com o primeiro, nasce o Estado russo em 862. Transferido depois para Kiev, em 882.

Em 980, Kiev é governada por Vladimir, primeiro eslavo de uma longa série de autocratas que predominaram na Rússia. Nessa época, a maioria dos soberanos da Europa, Oriente Próximo e África do Norte tinha abraçado uma das grandes religiões monoteístas. A Europa e Bizâncio eram governadas por príncipes cristãos, o mundo árabe por mulçumanos. Ao sul de Kiev ficava o Estado então independente dos Kazãs, no qual os chefes tinham adotado o judaísmo como religião oficial.

Vladimir viu que poderia tirar partido com uma religião oficial como fator de unidade, integração e controle de seu povo, decidindo impor a seus súditos uma religião para substituir suas crenças. Vladimir enviou emissários para se informar sobre o islamismo, o judaísmo e o cristianismo e efetuar sua escolha. De pronto, o islamismo foi rejeitado por condenar o álcool - o grande prazer dos russos. No judaísmo não fizeram fé pelo fato de os hebreus serem um povo disperso, espalhado por diversos territórios. Só lhes restou o cristianismo sob duas formas: romana e oriental. Os agentes de Vladimir acharam que faltava brilho ao cristianismo romano. Ficaram ofuscados pela pompa da Igreja Ortodoxa, em plena fase de rompimento com o Papa, sob a influência dos bizantinos em Constantinópolis.

Foi a primeira e única vez que se teve notícia de um estado-nação realizar uma licitação para proceder à escolha de uma religião oficial.

Cruz Ortodoxa

Vladimir batizou-se segundo o rito ortodoxo e obrigou seus súditos a seguirem o exemplo. Esta escolha teve efeitos duradouros que acabaram por isolar o então reino de Vladimir do resto da Europa. Suscitou uma desconfiança tenaz às ideias vindas do oeste, origem de uma trágica inimizade entre russos e seus vizinhos católicos, principalmente os poloneses. O golpe audacioso de Vladimir assegurou ao principado de Kiev uma certa unidade que, após sua morte, chegou ao apogeu com Iaroslav, que protegeu as letras e as artes construindo catedrais e se aliando a numerosos soberanos estrangeiros. No entanto, a sua morte em 1054 anuncia o declínio da Rússia Kieviana que, devido às infindáveis guerras internas e ao enfraquecimento do poder central, dividiu-se em vários principados.

No século XI, a arte moscovita começa a dar o ar de sua graça através de ícones - imagens religiosas pintadas em painéis de madeira - produzidos por artistas anônimos mantidos pela Igreja e que retratavam o reino de Cristo. Seu caráter sacro espalhou-se por lares quando passou a se acreditar que contivessem poderes miraculosos de curar enfermos e repelir invasores. Sem a ilusão de profundidade da pintura renascentista, tampouco tinham a pretensão de serem originais. Veneradas relíquias que testemunharam a profunda fé cristã da Velha Rússia.

Superstição à parte, quando uma casa de madeira em Suzdal ficava pronta no século XII, faziam entrar primeiro o gato, o decifrador da sorte por gozar de sete vidas. Se ele desdenhava e não ousava pôr as patinhas adentro, desmontavam a casa toda, pois que só os gatos farejam maus espíritos.

Constantemente invadida por nômades, a Rússia sucumbe aos tártaros - um dos braços dos mongóis - que, no século XIII, conquistaram uma grande parte da Europa e da Ásia. No principado de Vladimir, o reino inteiro se refugia no interior da Igreja de Assunção de Nossa Senhora e é queimado. Os russos entenderam o recado de Deus para abaixarem a cabeça, fortalecerem o espírito e aprenderem a costurar alianças.

Em 1240, os tártaros se apoderam das terras eslavas do rio Neva ao Mar Negro, ao passo que Alexandre Nevsky, com 19 anos, salva a Rússia de uma invasão inimiga em larga escala, pelo norte. Bate os cruzados suecos e atrai os cavaleiros teutônicos para uma batalha sobre a superfície gelada do lago Chudskoye, esmagando seus lendários guerreiros montados que, protegidos por armaduras pesadas, não conseguiam manter-se de pé.

Alexander Nevsky

Alexandre Nevsky entrou para a História como o maior defensor da Rússia, por sua luta pela unificação do território que emplacou a grande nação russa no mapa-múndi. Apesar de tê-la tornado vassala dos tártaros. A intenção de Alexandre era impedir que o enorme exército tártaro, como de hábito, massacrasse e arruinasse, fizesse da Rússia terra arrasada - sabia que não se importavam com a religião ou cultura russas. Forçou os cidadãos de Novgorod a pagar tributo e deteve uma ocupação que usurparia mais território, com o apoio da Igreja Ortodoxa Russa. Graças à amizade com o Grande Khan (líder do império mongol), Alexandre Nevsky foi instituído como Grão-Príncipe de Vladimir, o comandante em chefe russo - o que permitiu eximir seus compatriotas de marcharem ao lado dos mongóis em suas guerras de conquista.

De 1328 a 1340, Ivan I, o Grão-Príncipe de Moscou, amplia seu território e se torna o vassalo preferido dos tártaros, que governaram o jovem Estado russo por mais de dois séculos, reduzido a alguns principados pagando tributo aos senhores tártaros.

Kiev, no meio da Ucrânia tártara, não encontrou nunca mais sua supremacia política. Muitos ucranianos de hoje reivindicam a honra de terem sido os verdadeiros fundadores da Rússia, embora não se considerem russos e desdenhem de seus vizinhos eslavos do norte, originalmente habitantes da Moscóvia, principado cuja capital Moscou era um burgo como qualquer outro. No entanto, os príncipes moscovitas se aproveitaram habilmente da coleta de impostos para reforçar sua posição, desviando parte dessas somas para fortalecer sua soberania.

O poder espiritual e temporal de Moscóvia se solidifica quando, por um golpe de sorte, o patriarca da Igreja Russa morre durante uma visita a Moscou e os príncipes moscovitas persuadem seu sucessor a transferir a sede da igreja para lá, suplantando Kiev como capital religiosa da Rússia.

Assim, tornaram-se bastante fortes para confrontar os tártaros, ainda mais que a coesão alcançada através da conversão ao cristianismo se consolidava e o alfabeto cirílico criado pelos irmãos missionários Cirilo e Metódio no século IX facilitava, ao ter adaptado a língua russa à escrita grega.

Os mongóis varreram e destruíram mais territórios do que qualquer outro povo na face da Terra. Semelhante às da Mongólia, amavam as planícies da Rússia, onde havia também florestas e, atrás de cada árvore, um inimigo russo pronto para matá-lo. Por isso, seu domínio não se solidificou - não lhes aprazia viverem encerrados em fortalezas ou castelos. Gostoso era vencer os inimigos, persegui-los, tomar suas terras, ver suas famílias em lágrimas, montar seus cavalos, possuir suas filhas e esposas. Seu domínio era entendido pela matança, fogo e saque, em troca do tributo.

Por entre as labaredas da destruição, surgiu Andrei Rublev, o maior iconógrafo russo de todos os tempos, que proporcionou mais cores e luzes aos ícones, numa tonalidade brilhante que deu uma nova feição à influência bizantina. Jesus deixa de ser ameaçador e Nossa Senhora, angustiada. Andrei Tarkovski, famoso diretor do cinema russo, cuja temática recorrente é a espiritualidade, levantou a questão de o artista começar a interferir na realidade de seu tempo e não apenas retratá-la, quando filmou *Andrei Rublev*.

Andrei Rublev - Santíssima Trindade

Por entre as línguas de fogo que vertiam cinzas e destroços, divisou um temperamento impulsivo que começava a levantar as paredes de uma casa que iria abrigar uma nova nação. O clarão das chamas preanunciava um Deus no Céu e outro aqui na Terra, disposto a não se subordinar ao sublime que o sagrado coração exige, falecer o bizantino e florescer o russo, numa missão terrível em somar pedaço a pedaço na busca pela identidade de um povo que não comportava recuos diante de enfrentamentos inevitáveis, quando a sorte está lançada.

CAPÍTULO 2
IVAN, O TERRÍVEL

De 1462 a 1505, Ivan III põe fim à suserania tártara e funda o Estado Russo independente, cuja autocracia imperial seguiu as concepções do primado romano ao anexar a maior parte dos principados vizinhos. A ideia era transformar Moscou numa terceira Roma, sucessora do poder do império romano e bizantino, este recém-extinto pelos turcos otomanos.

Seu neto Ivan, o Terrível, foi considerado o maior tirano da história da Rússia, que reinou por 53 anos e acabou morrendo louco. Sua infância explica. Aos 3 anos, seu pai morreu e, aos 8, perdeu a mãe que, sob a ação do veneno, ainda teve tempo de alertá-lo quanto ao futuro que o esperava. Cresceu observando as famílias líderes de sua terra - boiardos - lutarem por parcelas do poder ao assumirem a regência. Assassinando uns aos outros. Em público, os regentes reverenciavam o menino Ivan; no particular, tratavam-no avaramente, tanto na alimentação como nas vestimentas, e pilhavam o tesouro imperial. Instilando medo na criança Ivan que, aos 5 anos, participava de cerimônias oficiais e já presidia as reuniões do conselho de regência.

Durante uma dessas reuniões, aproveitou o desentendimento reinante para criticar a má administração e o esbanjamento de recursos. Sem que ninguém esperasse, ordenou a prisão do regente que, ao tentar fugir, foi morto por futuros aliados do futuro soberano. Pouco a pouco, Ivan foi assumindo o poder, demonstrando que aprendeu a matar ao liquidar com todos os parentes que restaram das famílias regentes, antes que fosse tarde demais.

Coroado aos 16 anos, os sinos tocaram em todo o país para celebrar o casamento com Anastasia Romanovna, que exerceu um papel importante no período feliz do reinado. Vieram do estrangeiro manuscritos raros e impressoras para publicar livros, traduziram-se obras russas para mostrar ao mundo que a Rússia não era um país atrasado, a despeito de o poder de ler e escrever abalar a segurança do monarca.

Ivan IV, o Terrível, foi o primeiro soberano russo a ostentar o título de czar (César), ao expulsar os tártaros da rota comercial do Mar Cáspio em 1555. Para comemorar a vitória, construiu a Basílica de São Basílio na Praça Vermelha, notória pelos bulbos de alturas e cores diferentes em torno da capela central. Ao ver concluído aquele mimo tirado de um conto de fadas, ordenou que cegassem o arquiteto responsável e ameaçou outros que tentassem reproduzir seja qual for o rincão.

Catedral de São Basílio

O gosto de Ivan pela grandiosidade o tornou colecionador de tronos - todos queriam agradá-lo - e se estendeu aos prazeres da mesa. Não hesitava em presidir banquetes que podiam durar de seis horas até um mês, onde centenas de convivas eram recebidos e anunciados na chegada. As iguarias eram servidas em baixela de ouro ou prata incrustada de pedras preciosas, bebiam em copos de chifre de rena e conchas de ovos de avestruz. Entre fatias de corça e peito de faisão, os criados mudavam de libré (roupa) e o czar, de inúmeras coroas.

Ivan

Suas metas eram alcançar uma saída para o mar e unir a terra russa contra o invasor estrangeiro. Os rios nasciam e percorriam a Rússia, mas a foz estava nas mãos de nórdicos, polacos e livônios (Letônia e Estônia). Para negociar com a Inglaterra havia que evitar o Báltico, contornar a Noruega e oferecer uma via de comércio para o Oriente através do Mar Branco. Os boiardos e a Igreja Ortodoxa teriam de cortar o excesso de suas gorduras e financiar soldados e exércitos.

Ao subtrair poderes da aristocracia hereditária e dos patriarcas da Igreja, enfeixando-os em si, atrai o olho maligno da coligação que, aliada às derrotas na semente da guerra e à morte da czarina Anastasia envenenada, dão a partida para o período nefasto do reinado de Ivan, o Terrível. Seu espírito vagueia, mergulha na paranoia, afunda na dispersão e, em 1564, abdica repentinamente. Os pequenos proprietários rurais o apoiam no confronto com os boiardos e arregimentam o povo, que exige seu retorno. Ivan pôde assim ditar os termos de sua reintegração e obter o poder quase absoluto - a renúncia como estratégia, um exemplo para os ditadores de todo o mundo.

Envereda pelo caminho da repressão mais cruel. Tortura, arrasa e mata; quem for considerado suspeito de conspirar contra ele, próximo ou distante, será executado. Em 1570, explodiram distúrbios em Novgorod; Ivan massacra o povo, acusado de rebelião, e retira o poder remanescente das mãos dos boiardos. Deita abaixo cidades inteiras e não alivia nem parentes seus, assassinando por extensão suas famílias. Para se proteger de traições, criou sua guarda pessoal, a *Opritchina*, a primeira de uma série de célebres e mal-afamadas polícias secretas da Rússia. Vestidos de negro e em cavalos da mesma cor, os *opritchiniks* saíam à procura de suspeitos que ousavam desafiar seu reinado ou que de alguma forma mostrassem desrespeito. Quando não se virava contra poderosas figuras da sociedade e as humilhava para evitar seu retorno à dignidade de seus cargos.

No mundo afora, eram tempos de Inquisição, em que se promovia caça às bruxas, incentivava-se o genocídio dos índios nas Américas, a pretexto de que, segundo os jesuítas, eram canibais selvagens. Questão que evoluiu para discutir se estariam à altura da nossa civilização, na tentativa de inseri-los em nosso meio e explorá-los sob o regime da escravidão.

Na conquista da Sibéria pelas tropas cossacas (absorvidos pelos russos) o império se expande. No sentido inverso, avançou sobre o mesmo território anteriormente ocupado pelos mongóis, de proporções continentais, demonstrando que aprenderam a lição no erro dos tártaros, assentando-se nas estepes da Rússia Branca. Se a América era um continente por ocupar, a despertar cobiças e provocar a semeadura do imperialismo, por que não a Sibéria? Um prêmio justo, na verdade. Afinal de contas, os russos contiveram a investida dos mongóis por sobre a Europa, fato esse não reconhecido nos compêndios oficiais da História.

No fim de seu devastador império, Ivan, o Terrível, inaugurou o exílio na Sibéria como fórmula de isolar os oponentes da ideologia predominante e mantê-los em cárcere coletivo nos campos de concentração sob o regime de trabalhos forçados, em nome de uma causa justa - aos olhos do verdugo. Apesar de o frio poder ser o coveiro dos inimigos na Sibéria, o exílio era melhor que o castigo através de torturas sádicas e execuções em Moscou, algumas das quais Ivan assistia pessoalmente. Chegou a espancar e matar seu filho primogênito que dizia amar. Foi neste momento que ele perdeu a razão.

Conhecer a data de sua própria morte tornou-se uma obsessão. Convocou 60 feiticeiros da Lapônia, que lhe precisaram o dia em 18 de março de 1584. Na véspera, não suportou e morreu de um ataque cardíaco.

Seu filho Fedor, débil e incompetente, herdou o trono. Porém, de fato, o poder estava nas mãos de seu cunhado, Boris Godunov, que não titubeou em assassinar o pequeno Dimitri, irmão e herdeiro de Fedor. Com a morte de Fedor, Godunov se autoproclama czar, inspirando o compositor Mussorgsky na célebre ópera que leva seu nome. Eis que surgem dois pretendentes ao trono jurando serem Dimitri, a criança assassinada que teria milagrosamente escapado dos seus algozes. Os impostores foram amparados pela Polônia que os usou como trunfo na disputa de fronteiras com a Rússia, ao invadi-la em 1610.

Diante desta ameaça, a assembleia dos senhores feudais procurou um czar capaz de agregar todas as facções em nome da soberania do país e entregou a coroa a Michael Romanov, um príncipe muito respeitado, aparentado de Anastasia. Tiveram que arcar 70 anos para expulsar os poloneses de seus domínios, arrancando a Ucrânia Oriental das mãos da Polônia e consolidando as fronteiras do país até o Pacífico.

Fundava-se uma dinastia, a dos Romanov, que iria encerrar o ciclo dos czares três séculos depois, na Revolução Comunista de 1917. Sua marca registrada: a servidão - dependência da plebe para a aristocracia.

Onde pisou, a grama não cresceu mais. 53 anos de Ivan, o Terrível, geraram 100 anos de convulsões originadas em disputas dinásticas, sublevações e invasões estrangeiras, que redundaram no incêndio de Moscou assinado pelos poloneses. Desforra somente obtida na 2ª Guerra Mundial, no cumprimento do pacto Ribbentrop-

Molotov, que dividiu irmãmente os despojos da Polônia com a Alemanha - ninguém melhor do que o russo para saber que vingança é um prato que se serve frio.

CAPÍTULO 3

PEDRO, O GRANDE

No fim do século XVII, a dinastia dos Romanov deu à Rússia um czar tão poderoso quanto Ivan, o Terrível, mas sem seu espírito destruidor. Era Pedro, o Grande, o pai da Rússia moderna. De infância difícil, como Ivan, assistiu a uma luta pelo poder seguida de mortes nos corredores do Kremlin, quando seu pai morreu. Obrigando-o a se refugiar nos arredores de Moscou na sua maioridade pois Sofia, sua irmã mais velha e tutora, não lhe passou o cetro - ambicionava ser czarina.

Ao percorrer o campo, aproveitou seu tempo livre observando e adquirindo conhecimentos práticos, como construir uma casa de alvenaria, consertar sapatos, extrair dentes cariados e mesmo fundir um canhão. Ao descobrir no depósito imperial um barco à vela, de proa pontuda e quilha arredondada, diferente daqueles com fundo chato que navegavam nos rios da Rússia e, ao ser ensinado a manobrá-lo por um holandês construtor de barcos, nasceu aí seu amor pelo mar - que iria durar a vida inteira. O que pesou na criação da Marinha, anos depois, ao dotar o país com a sua primeira frota.

Medindo mais de 2 metros, Pedro tornou-se um verdadeiro gigante provido de uma força legendária ao dobrar pesados pratos de prata e abater árvores a machadadas em segundos. Seu apetite era imenso, em refeições sem cerimônias na companhia de artistas ingleses, escoceses, suíços, dinamarqueses, que viviam em Moscou. Foi o maior incentivador da vodca ao organizar campeonatos - tomava 3 litros de uma só vez.

Ao se aperceber de que a Rússia era atrasada, resolveu abrir uma janela para o Ocidente, já como czar, a fim de ingressar no país ideias europeias impregnadas de progresso. Não sem antes recolher a irmã Sofia aos costumes no Convento das Carmelitas. Empreendeu um périplo de 18 meses pela Europa, em que se fez passar por marinheiro e trabalhar como carpinteiro num estaleiro da Holanda, aprendeu a retalhar a gordura da baleia, estudou anatomia e cirurgia observando dissecação de cadáveres, visitou museus e galerias de arte. Ao assistir às sessões do Parlamento das galerias dos visitantes, o governo inglês lhe ofertou a morada de um aristocrata, no que retribuiu com móveis quebrados e retratos utilizados como alvos de tiro. Pedro indenizou o proprietário com um enorme diamante bruto envolto num papel sujo.

Tão pronto tomou conhecimento de que inimigos das novas ideias queriam depô-lo, retornou com a revolta já subjugada, o que não foi suficiente para conter sua fúria. Fez queimar no espeto todos os prisioneiros, um por um, e, na aproximação da morte, cortava-lhes a cabeça para expô-las em praça pública e dar exemplo. O que não o impediu de começar simbolicamente o processo de modernização do país ao ordenar a todos os homens que desbastassem o comprido da barba. Com suas próprias mãos, cortava a barba dos nobres da corte. Os longos hábitos dos homens deveriam dar lugar aos sobretudos e quanto às damas, abandonarem seus véus para comparecer nas recepções com vestidos justos e bem decotados, como se usava na França. Os filhos da aristocracia seriam confiados a governantas que os familiarizariam com o francês e o alemão.

Impedido pelos otomanos de se estabelecer no Mar Negro, Pedro se convenceu da urgência de se abrir à cultura e técnica ocidentais. Procurou um outro porto ao norte, à margem do Báltico, e começou a sonhar com a nova capital, ao tomar emprestado a baioneta de um dos soldados e marcar com uma cruz o terreno da futura fortaleza de São Pedro e São Paulo.

Buscou nos Urais, na riqueza de seus recursos naturais, o tesouro de pedras preciosas que erguia seu império à altura de um reino burguês distanciado do rústico que imperava na corte, do ortodoxamente rudimentar. Às novas terras conquistadas, crescia o interesse na demanda por joias e na acumulação que reluzia o esplendor das monarquias absolutistas dos anos 1500 a 1700, quando a exploração atingiu seu ápice.

Facilitou a construção de fábricas e escolas para ensinar matemática, navegação, astronomia, medicina, geografia, filosofia e política. Lançou o primeiro jornal russo. Imprimiu 600 livros e construiu um teatro em Moscou, ainda de pé na Praça Vermelha. A sua convicção era a de que o mal resultava da ignorância; o conhecimento possuía um efeito libertador ao forjar uma nova alma, sem desconfiar que contribuía decisivamente para o início da formação de consciências críticas que marcaram a Rússia na revolta contra a injustiça e a opressão.

A armada foi reformada depois de os russos perderem 10 mil homens e a maior parte da artilharia contra os suecos, bem menos numerosos. Imediatamente, mandou preparar soldados para batalhas e não para desfiles, e providenciou a troca de lanças, espadas e alabardas por fuzis com pedras. Desceu sinos e fez subir canhões.

Em 1709, os suecos, que vinham de invadir a Polônia e a Saxônia, voltaram à carga visando a Ucrânia, quando, em Poltava, desenrolou-se uma das batalhas mais decisivas da história da Rússia. Aliada aos saxões, poloneses e dinamarqueses, afastou para sempre o perigo de uma dominação sueca sobre a Europa do Norte e territórios bálticos. A vitória permitiu a conquista da janela sobre o Ocidente; o Báltico assegurava uma via de comunicação utilizável durante todo o ano com o resto da Europa. Pedro já havia começado a construir um porto ao qual devia dar o nome de seu santo padroeiro, portanto, o seu. Foi chamado de São Petersburgo.

Batalha de Poltava – 1709

São Petersburgo nasceu de um sonho extravagante de Pedro, o Grande, fazendo-a cultivar um ar de superioridade sobre sua grande irmã, Moscou, ao dar as costas para a Ásia, de caso pensado com a Europa. O lugar escolhido parecia ser pior do que se podia imaginar: um pântano na desembocadura do Neva, lá onde o rio alcança o golfo da Finlândia. Pedro mandou vir da França e da Itália inúmeros arquitetos e artistas para construir uma cidade. Com a maior urgência, ela cresceu sobre as ossadas de milhares de servos, de prisioneiros de guerra, recrutas requisitados do exército, tantas foram as mortes por causa do árduo trabalho em cavar canais e secar pântanos para fixar as fundações.

Ao fim de 9 anos, ergueram-se 25 mil casas, com uma rede de canais como os de Amsterdã e grandes avenidas arborizadas. Pedro, o Grande, a tornou capital da Rússia. A altura das casas variava segundo a classe social de seus ocupantes. Um andar com quatro janelas e uma claraboia, para os comuns, e dois níveis com sacada, para os ricos comerciantes.

Com o intuito de se vingar das ameaças sofridas na puberdade em Moscou, e tomado por um maligno prazer, removeu a corte em 1712 para os pântanos ainda fétidos de São Petersburgo. Deveriam abandonar os castelos moscovitas medievais para construir novas mansões, segundo as estritas diretivas arquitetônicas do czar, que redesenhava projetos, revisava material de construção e adequação de estátuas e plantas. A ordem era de povoar a cidade com milhares de servos de seus domínios.

Considerando que Moscou era o centro nervoso da Igreja Ortodoxa, Pedro aproveita o ensejo para desvincular a Igreja do Estado. Constrói a Catedral de São Pedro e São Paulo, ao melhor estilo católico, projetada por arquitetos italianos, e dá largos passos na aproximação com o Ocidente.

Tão simples em seus gostos pessoais, comandava o ritmo das construções de uma modesta casa em madeira onde se alimentava de rações de carne defumada regadas a cerveja, tanto quanto era ambicioso em suas pretensões. O Imperador de todas as Rússias, seu novo cognome em 1721, procurou rivalizar com Versalhes ao erigir o palácio de verão Peterhof - denominação alemã alterada em 1944 para Petrodvorets - com magníficos jardins e chafarizes que permitiam satisfazer sua atração por brincadeiras: os esguichos jorravam repentinamente e molhavam os distraídos enredados em filosofia ou intrigas. Recepções e bailes de máscaras prenunciavam o ingresso da licenciosidade e costumes escandalosos para padrões ortodoxos, já que Moscou apenas celebrava um número restrito de austeras festas religiosas.

Palácio Petrodvorets

Foi em Peterhof que o czar teve uma desavença tempestuosa com seu único filho, nascido de seu primeiro casamento com uma mulher que nunca amou e que ele encerrou, por fim, num convento. Sua segunda mulher, com a qual viveu 23 anos, era uma camponesa analfabeta, amante de um oficial, que lhe deu 12 filhos, dos quais somente duas filhas sobreviveram. Alexis, o herdeiro do trono, se converteu num instrumento nas mãos de conservadores que urdiam a deposição de Pedro e da capital.

Ao responder de forma evasiva a questões que envolviam o poder, o czar acusou seu filho de conspiração e o fez prisioneiro para obrigá-lo a entregar sua alma. Pedro morreu em 1725 sem designar seu sucessor, em consequência de doença contraída no mergulho nas águas geladas do golfo da Finlândia para socorrer pescadores abalroados por geleiras.

Pedro o Grande

Pedro se preparou para ser não um czar, e sim um soberano à altura da nação ao elevar os seus horizontes, progredindo para explorar intensivamente seus recursos naturais e desenvolver a economia, utilizando-se do engenho da melhor das técnicas e alavancando a cultura da Rússia, de modo a alcançar um patamar de olho na proposta expansionista da Inglaterra. Na certeza de que os benefícios iriam elevar o nível de vida da população e sacá-la do estágio de ignorância que a atrelava a valores ultrapassados, inspirados na crueza do estilo tártaro - espontâneo, mas rude. Na certeza de aportar uma nova identidade para o povo russo, em pé de igualdade com outras monarquias europeias, onde todos, nobreza e servos, se envolveriam nesse arremedo de europeização.

Pedro faria com que a Rússia deixasse de olhar para o seu umbigo e se permitisse tirar proveito de novas influências que arejassem a essência de sua alma. Foi o czar que mais chegou perto do âmago do povo, anacronismo paradoxal em se tratando de uma monarquia apoiada na servidão. Simplificou o alfabeto russo, atrelado ainda ao grunhir de fonemas e ditongos, e aumentou a possibilidade de aprender, facilitada pela leitura mais fácil e de escrever tudo que já vinha à cabeça, ao imprimir livros e jornais, retirando a Rússia do atraso medido em termos de alfabetização. Mal sabia que iria pô-la no caminho para se transformar numa nação altamente intelectualizada.

Fecundo o fruto de seus esforços de modernização em inúmeros campos, embora tenham provocado uma ruptura social. A uma nobreza europeizada se opunham camponeses e o clero que resistiam de todas as maneiras às mudanças. O fosso iria aumentar meio século mais tarde sob o reinado de uma czarina saliente: Catarina, a Grande.

CAPÍTULO 4
CATARINA DA RÚSSIA

Catarina não era russa e nem se chamava Catarina ao ascender ao trono da Rússia, resultado de um vácuo no poder em que a coroa passou por diversas mãos até cair no colo de Pierre de Holstein - Pedro foi tão Grande que não deixou sucessor. Catarina era Sofia e princesa na Prússia, ao casar-se com o sobrinho-neto de Pedro. Preferiu a corte russa, trocou de identidade, converteu-se à lei ortodoxa e aprendeu sua nova língua e tudo que concernia à Rússia.

Mal adivinhando que iria alcançar um grande relevo de 1762 a 1796, ao dirigir a política expansionista da Rússia, conquistando a Crimeia, Lituânia e Ucrânia, compartilhando a Polônia, guerreando o império otomano e explorando o estreito de Bering para caçadores russos se estabelecerem no Alasca em 1784.

Império Russo

É a doutrina do imperialismo. Defende os interesses imperiais na aquisição territorial para fundar estabelecimentos e criar colônias, ou manter Estados sob sua proteção - que procuram disfarçar a submissão econômica, política e cultural -, estendendo seus domínios e autoridade a terras estrangeiras. A seu favor, a virgindade da Sibéria e da costa oeste americana. Contra si, o pretexto de saídas para o Oceano Pacífico; afinal, a Grã-Bretanha, rainha dos sete mares, já farejava a China estudando como dar o bote num império fechado em torno de si mesmo.

Dotada de uma vontade de ferro e de uma energia sem limites, sua inteligência não tardou a se destacar de seu consorte, que bebia muito e mostrava que não tinha estofo para acompanhar sua rainha. Seis meses após a subida ao trono, Catarina o depôs com um golpe de estado e se fez nomear imperatriz da Rússia. Dez dias depois, o marido foi oportunamente assassinado no curso de uma briga de beberrões. Obra e arte de Grigori Orlov, esperto oficial da guarda do palácio, um dos amantes de maior prestígio da coleção memorável de Catarina, que recebeu o seguinte bilhete: "Dama soberana, ele não existe mais, o mal foi feito, mãezinha".

Com 20 primaveras apenas, não se preocupava em esconder suas ligações que não eram perigosas nem extraconjugais. Mandou ajustar o uniforme da guarda para examinar com maior nitidez e clareza de propósitos o tamanho do membro de cada oficial. Sem ser bonita, ela possuía magnetismo, vitalidade e poder para abrir seu desejo e estimular o pretendente a desvendar seu mistério. Seus favoritos não tinham do que se lastimar. Ela casou-se com um deles, Stanislas Poniatowski, titular do trono da Polônia.

Ávida de poder, amava o aparato do qual se cercava ao colecionar coches. Para a sua coroação, encomendou uma coroa com 5 mil diamantes, 76 pérolas perfeitamente combinadas e um rubi de 399 quilates que pertenceu ao imperador da China. Tornada a coroa oficial para todas as cerimônias de coroações que se seguiram, era tão pesada que seus sucessores queixavam-se de dores na cabeça.

Coroa de Catarina da Rússia

Não há como comparar os tesouros do czar com as joias da rainha da Inglaterra. Mesmo porque, na guerra civil de 1642 que culminou na proclamação da República em 1649, Cromwell fora compelido a obter liquidez de todo o ouro com que o reino se banhava para armar-se até os dentes na modernização de um absolutismo atrelado a uma gestão semifeudal na economia. O ouro agora viria do mar, importações somente a cargo da frota britânica; através do comércio exterior é que se travariam as futuras guerras de conquista de mercado. Como num complicado jogo de xadrez, avançaram a rainha para propiciar o xeque-mate em futuras colônias à mercê de uma pirataria que evoluía e se sofisticava.

Uma fortuna incalculável consumida em palácios e casas de campo fez de São Petersburgo uma imponente cidade, onde as casas em granito substituíram as primeiras casas de madeira. Catarina ampliou e embelezou, com o apoio de arquitetos estrangeiros, o Palácio de Inverno, surgindo a galeria Hermitage para alojar sua biblioteca e coleção de quadros, composta das mais belas peças que seus emissários traziam do estrangeiro. Cedo ela juntou 4 mil dentre os maiores pintores da Europa, como Rembrandt, Raphael, Van Dyck e Rubens. Mandou recolher todos os ícones de Rublev, desvalorizados e deteriorados, que se espalharam pelas casas de camponeses a enfeitar o lugar de patriarcas em mesa de refeições - lugar de honra cedido a estrangeiros ou idosos em visita. Catarina se considerava herdeira espiritual de Pedro, o Grande, e se sentia responsável pela obra que havia criado. Culta, movida a paixões e ambições desmedidas, a déspota esclarecida foi a introdutora do feminismo na Rússia, do ponto de vista do exercício do livre jogo do sexo, a despeito do estado de czarina constranger e levá-la às últimas consequências na questão de diante de tanto poder o que fazer para se satisfazer. Perturbando as mulheres cansadas de serem satélites dos homens e que ganharam luz própria.

Esta intelectual possuía uma cabeça reconhecida por ela mais masculina que feminina. Fascinada pela filosofia do Iluminismo, Voltaire e Diderot exerceram influência na corte com sua presença e em como o monarca deve governar conforme as exigências da razão e não segundo a vontade de Deus. Em como regenerar a bondade no ser humano, em contrário senso à concepção da Igreja do homem pecador na essência. Os homens teriam direitos naturais dos quais os governos não poderiam escarnecer. Pensamentos que pairavam em pleno século XVIII, onde a servidão na Rússia estava longe de ser um veio exaurido a caminho da extinção, tal como no restante da Europa.

Os czares se encarregavam de perpetuar a servidão, ao recompensar aqueles que os serviram de forma exemplar, dando-lhes terras, incluindo todos os camponeses a elas vinculados. O prêmio ao servilismo como garantia de fidelidade e eternização dos privilégios imperiais. Todavia, muitos ainda viviam em condições que nada diferençava da escravatura. Conta-se que uma dama da corte encerrou seu cabeleireiro numa gaiola, a fim de que ele não abrisse a boca sobre sua calvície. Untavam as vastas cabeleiras para reter piolhos no pegajoso da gosma, e somente servos para recolhê-los.

Uma situação asquerosamente insuportável que levou cossacos, rudes guardiães das fronteiras do império, a se juntarem a outros dissidentes - servos, mineiros, monges e exilados políticos - e exigirem terras em revolta camponesa nos confins do Ural. Tiveram a veleidade de marchar contra o governo de São Petersburgo, aproveitando que as tropas imperiais estavam com a atenção voltada para a guerra contra os otomanos na Crimeia. Catarina acerta apressadamente a paz, persegue-os, promove enforcamentos em todos os recantos que apoiaram a insurreição e abandona seus pruridos intelectuais ao interditar Voltaire.

Na sua escala de preferências, os amantes mais jovens começaram a ser contemplados. Enrabicha-se pelo mais notável de todos, Grigori Potemkin. Um oficial da guarda, bem-nascido, que distribuía diamantes às damas em recepções, cuja admiração ia desde o seu conhecimento do grego, latim, francês e alemão, até a imprudência de imitar sua pronúncia alemã, correspondida com o chamego de um "meu pavão", "meu cossaco", "meu faisão dourado".

Potemkin se tornou o conselheiro mais ouvido, mesmo quando o ardor de sua paixão esfriou. Foi o artesão do reatamento da Crimeia com a Rússia em 1783, importante para conseguir uma saída marítima através do Mar Negro. Catarina não se fazia de rogada e dispunha dele como o melhor amigo, a ponto de até escolher os seus amantes, retribuindo com a construção de um magnífico palácio em sua homenagem.

Quando Potemkin assentou portos e preparou uma frota para explorar o Mar Negro, reacendeu o estado de beligerância com o império otomano ao ameaçar sua hegemonia. A proposta expansionista prosseguiria com o czar Alexandre I, que anexou a Geórgia e a Finlândia, construiu fortes no Alasca e se estabeleceu na costa oeste da América até a Califórnia.

Ao morrer, Catarina legou um país de fronteiras mais amplas, exaurido por conta de suas extravagâncias com o recorde impressionante de 137 amantes, fora os que saltaram pela janela. Originando a lenda de que, insatisfeita com os amantes, providenciou uma égua empalhada para que ela se enfiasse e atraísse cavalos trazidos pela guarda. Ao se mexer na posição adequada, fornicavam com ela. Tanto fez que acabou morrendo rasgada por um colossal membro. Embora a versão oficial tenha afiançado que ela não resistiu a um AVC.

Catarina da Rússia

CAPÍTULO 5
FIM DO CZARISMO

Em junho de 1812, a soberba de Napoleão levou-o a cruzar a Europa e invadir a Rússia, que sofreu a primeira de uma longa série de acontecimentos que viriam a conturbar, sacudir e fazê-la entrar em efervescência, despertando-a para culminar com o fim do czarismo. Como que a preparando para torná-la uma grande potência aos olhos do mundo no século XX.

Batalha de Borodino - 1812

Na batalha de Borodino, o sangue jorrou em 16 horas de confronto ininterrupto, com 66 mil baixas russas e 58 mil franceses mortos. A retirada estratégica ordenada pelo general Kutuzov propiciou a Napoleão ocupar Moscou, que já ardia em chamas, quando esperava a rendição do czar. Audácia e coragem na aplicação da tática da terra arrasada, consumindo no fogo sua própria cidade e os víveres necessários à alimentação de 500 mil soldados franceses, dizimados em solo russo pelo General Inverno. Famélicos, em uniformes esfarrapados, sofrendo temperaturas em queda que alcançaram menos 38°C, sob emboscadas frequentes dos cossacos. O fracasso sem termo de comparação com Waterloo, eleito injustamente como paradigma de derrotas grandiosas.

Se não fosse Pedro, o Grande, ao provocar tremenda fermentação intelectual que permitiu a invasão do país por ideias e livros ocidentais, os artistas do czarismo não gozariam de relativa liberdade para abordar a realidade da época e a literatura não teria explodido no século XIX. Se Napoleão foi posto para correr, os pensamentos de liberdade, igualdade e fraternidade penetraram fundo no espaço russo, não reconhecendo fronteiras ou campos de batalha.

Foi lá que Pushkin, o maior poeta da Rússia, tomou contato com as ideias "proibidas" da Revolução Francesa e preparou o cenário para que os grandes escritores que viriam a seguir produzissem romances, poemas e peças teatrais inigualáveis num único século. O conflito entre o indivíduo e o Estado, bem como as profundezas irracionais que existem dentro de todas as pessoas, traduzidos em poemas diáfanos e elegantes, mereceu-lhe exílios, mediante a fama de jogador inveterado, beberrão, conquistador barato e provocador de duelos. Diante de seu sucesso, Nicolau I o libertava de seus exílios com que a censura o alimentava de criatividade, até nomeá-lo como poeta particular e cativo do czar.

O primeiro movimento francamente revolucionário contra os czares ocorreu em 1825, na revolta dos dezembristas. Nobres e jovens oficiais queriam afastar Nicolau I do trono, introduzindo o regime constitucional e abolindo a servidão, insatisfeitos com o arbítrio, ignorância e miséria do regime, a barbárie da vida popular russa, se comparada com o nível de civilização da França pós-napoleônica, Inglaterra e império austro-húngaro.

Nicolau I preocupou-se em garrotear o país e acentuou ao máximo o regime despótico, burocrático e policial do Estado russo, redundando nas feições de sua cultura até os dias de hoje. As perseguições políticas sempre foram uma verdadeira praga, a condenação a trabalhos forçados na Sibéria a praxe, servir ao Exército um alívio. Dostoievski foi submetido a uma execução fictícia de fuzilamento, interrompida na hora do "Preparar, apontar", comutando-se a pena para trabalhos forçados, a três dias do Natal - a Sibéria foi a sua salvação, durante 10 anos. E a nossa - *Recordações da Casa dos Mortos* foi o primeiro relato escrito sobre campos prisioneiros da Rússia.

Contudo, não passava pela cabeça dos camponeses buscarem o fundo do mal no czar, um ser venerável e superior, acima dos simples mortais, para conduzir a bom porto os graves destinos da nação. Sob a influência do misticismo religioso, o povo considerava o período de espera e de sofrimento como algo imposto por Deus, sob forma de castigo e de provação, resignando-se com o fatalismo primitivo. Não compreendiam sequer o gesto daqueles que se sacrificavam em nome de sua causa, surdos a todas as incitações, exceto as da Rua Arbat.

A Rua Arbat, a mais famosa de Moscou, por onde os soldados franceses penetraram em meio às labaredas. Não é mais benquisto o duelo de espadachins ou com armas de fogo, a honra não levará mais vidas em vão. A disputa agora é na base dos punhos, o boxe sem fronteiras, até o adversário cair desfalecido. Arbat era a arena, lotada de desocupados, apostadores e valentões.

Não era ambiente para *matrioskas*, bonecas de madeira pintada típicas da Rússia, que representam a cara redonda de uma mulher camponesa em vestido bordado, com avental e lenço na cabeça, em meio a flores e cores vivas. De seu interior, saem outras quatro bonecas que se encaixam à medida que se miniaturizam, ou podem sair mais bonecas até a última reproduzir uma criança de seis anos. As peças subsequentes podem ter o mesmo desenho ou apresentar variações em torno do mesmo estilo.

Matrioska

Nos longos dias de um rigoroso inverno, Maliutin, homem de grande talento e intuição que ilustrava livros para crianças, começou a esculpir uma boneca que desse vazão ao seu romantismo de conquistar uma donzela da aldeia de Simeonovka, reproduzindo a ela, mãe, tia, avó e bisavó que se encaixassem numa só. Para conseguir a aprovação dos pais e se casarem. *Matrioska* passou a simbolizar o amor pela família, a fertilidade, a estabilidade do casamento, a fidelidade e a segurança do lar. Fez tanto sucesso que se espalhou por todo o território e virou símbolo do folclore e artesanato russo, precursora dos brinquedos pedagógicos.

"Mais vale outorgar a liberdade de cima para baixo que esperar que venham a tomá-la de baixo para cima." Pensando assim, o czar Alexandre II vende o Alasca aos Estados Unidos e concede liberdade aos servos, retirando-os da escravidão. O que não o livrou do sétimo atentado sofrido, quando duas bombas lançadas na sua carruagem por estudantes niilistas arrancaram as pernas e a vida do imperador. A ação não foi bem compreendida pelas massas, pois ainda respeitavam o magnânimo czar, acreditando que ele só queria o bem do povo. Na verdade, os camponeses com medo de que restaurassem a servidão, eximiam os niilistas e acusavam a nobreza pelo atentado, pois era ela que queria se vingar da abolição dos trabalhos quase escravos.

O niilismo foi introduzido na língua russa pelo novelista Ivan Turgueniev como uma corrente de ideias de caráter filosófico e moral - não uma doutrina -, abrindo caminho a uma evolução intelectual que conduziu a juventude a concepções gerais muito avançadas graças à sua tendência emancipadora. O germe de um verdadeiro despertar revolucionário, político e social, que repercutiu na libertação da mulher da tutela do homem no final do século XIX.

Baseava-se no materialismo e no individualismo, face a tudo que atentasse contra a liberdade de pensamento. Era contra todas as tradições impostas ao homem pela sociedade, família, costumes e convenções. Não admitiam nada que fosse natural e respeitado como sagrado pelos demais.

Ao aceitar o materialismo como uma verdade absoluta e indiscutível, os niilistas combateram a religião e tudo o que se encontra além da razão pura ou da prova positiva, contra tudo que pertence ao domínio sentimental e idealizado. Desprezaram a estética, a beleza, o conforto, os prazeres refinados, o amor sentimentaloide, a arte de vestir-se e o desejo de agradar. Comparavam o operário ao artista: o primeiro produz objetos de utilidade para a sociedade, enquanto o segundo, de nada serviam suas obras. As mulheres usavam óculos e cabelo curto para aparentar feiúra e desdém pelo exibicionismo, vestiam roupas ordinárias que desafiavam a elegância, andavam com um jeito viril e fumavam em desprezo à etiqueta.

Apesar de seu caráter essencialmente individualista, o niilismo preparou a luta em favor de uma emancipação concreta: política, econômica e social. Através da geração dos anos 1870 e 80, formaram-se os primeiros grupos revolucionários e socialistas na Rússia, que nada tinham em comum com o niilismo de antes, sequer foi base do bolchevismo. Com a Europa Ocidental em meio a grandes lutas sociais, o socialismo começava sua intensa propaganda e o marxismo discutia a tarefa de organizar a classe trabalhadora em um poderoso partido político.

Nessa época, a Rússia não era mais um país inculto, de reputação associada à barbárie; apenas a população camponesa permanecia ignorante devido às consequências da servidão. O menor contato entre os grupos formadores de opinião e o povo era suspeito, passível de repressão, o ambiente propício para fomentar revolução. Os atentados terroristas prosseguiam a uma cadência assustadora e oficiais eram assassinados - às centenas.

A formação de um partido político operário chamado de Partido Social-Democrático, que trazia no bojo o marxismo, vicejava na Europa uma nova concepção de luta de classes integrada a um programa concreto de ação revolucionária. O que implicou na divisão, em 1903, em mencheviques (minoritários) e bolcheviques (majoritários). Os mencheviques pretendiam a modernização do capitalismo russo e a transformação da Duma (Parlamento) na principal fonte de poder político da nação. Os bolcheviques, liderados por Vladimir Ilitch Ulianov, dito Lenin, defendiam uma revolução socialista com base nos ideais de Karl Marx e pregavam a união de operários, soldados e camponeses contra o czarismo.

O regime czarista levava bordoadas de todos os lados. Em 1904, a Rússia ocupou a Manchúria e procurou penetrar na China e na Coreia, sofrendo uma derrota humilhante na guerra declarada pelo Japão em que perdeu a maior parte de sua vetusta frota. Greves e manifestações espoucavam. Começaram a se organizar em sovietes - assembleias populares formadas por operários, camponeses, soldados, os trabalhadores em geral, com funções de órgão deliberativo.

Em janeiro de 1905, milhares de esfaimados e desempregados marcharam com suas famílias em direção ao Palácio de Inverno. Na proverbial ausência do czar Nicolau II, a guarda do palácio atirou sobre a multidão, matando mil homens, mulheres e crianças, aproximadamente. Os soldados haviam sido embriagados para perder o escrúpulo. O Domingo Sangrento, como ficou conhecido, indignou o povo cuja cólera se virou contra o czar em pessoa, desencadeando uma gigantesca onda de greves e ocupação pelos marinheiros do encouraçado Potemkin.

Domingo Sangrento - 1905 - São Petersburgo
Manifestantes fogem dos tiros
da tropa imperial

É consenso generalizado que a Rússia foi um caldeirão de ideias e de movimentos anarquistas, visto que Bakunin (1814-1876) e Kropotkin (1842-1921), os pais do anarquismo, eram russos. Embora com obras publicadas no estrangeiro, nem um nem outro jamais militou como anarquista na Rússia, onde toda doutrinação social, socialista e revolucionária não tinha absolutamente nada de anarquista - não houve um interesse maior, esclarece o anarquista Volin.

A eclosão da 1ª Guerra Mundial foi o derradeiro fracasso que engoliu a monarquia. O regime czarista, completamente anacrônico na sua vontade de governar um Estado do século XX como uma sociedade agrária do século XVIII, não estava preparado para enfrentar esta prova. Depois de mobilizar 6 milhões de soldados, os generais se aperceberam de que não dispunham de 5 milhões de fuzis. As perdas de vidas humanas se acumulavam - inevitável o recuo em todas as frentes, obrigando Nicolau II a assumir pessoalmente o comando das forças armadas.

Largando nas mãos de sua esposa Alexandra Feodorovna o descontentamento reinante e sua repressão, assistida espiritualmente pelo monge Rasputin, que se tornou mito no folclore da corte com a fama de devasso, beberrão, analfabeto e grosseiro, além de ter conseguido estancar a hemofilia do filho da czarina. "Meu mestre bem amado", escrevia-lhe ela, "minha alma não encontra paz senão quando vós estais perto de mim".

Rasputin

Em dezembro de 1916, uma malta de nobres decidiu dar um fim nele, aproveitando-se de que o monge era glutão. Um bolo encharcado de creme misturado com cianureto. Nada aconteceu. Um tiro resolve. Rasputin cai, levanta-se e se precipita sobre a garganta do agressor. Uma chuva de balas o derrubou definitivamente; o rio foi sepultura à altura dessa farsa trágica, um dos numerosos acontecimentos prenunciadores do desabamento do império.

A influência alemã presente no czarismo concorreu também para alimentar sentimentos de alta traição. Mas a gota d'água foi a completa desorganização da vida econômica no interior do país. Não fosse pelos sovietes, assegurando a produção e controlando os estoques na distribuição de víveres. O que comprovou o elevado moral do povo para a queda do czarismo, encerrando o processo pré-revolucionário de décadas e dando a última mão à obra preparatória.

Em 26 de fevereiro de 1917, com o anúncio da dissolução da Duma, regimentos, tropas e soldados se misturaram ao povo que, encorajado, levantou barricadas, queimou prédios públicos e enfrentou a *Okrana*, a implacável e violenta polícia política instalada em pontos estratégicos. Reduziram as metralhadoras ao silêncio e o czar foi informado por telégrafo. A ação das massas foi uma ação espontânea, não preparada nem guiada por nenhum partido político, mesmo porque, em virtude da repressão, os principais líderes e organismos centrais dos partidos políticos de esquerda se encontravam fora da Rússia no momento da insurreição. Com a revolução vitoriosa, eles voltaram.

Enquanto a Duma reunida no Palácio Tauride formava um governo provisório, as massas invadiam em desabalada correria os salões dos palácios e ocupavam gabinetes para criarem comitês de ação política. Intelectuais, pequenos proprietários, a classe operária, sargentos e tenentes, mujiques (camponeses), sociais revolucionários, sociais-democratas, mencheviques, bolcheviques, anarquistas e extremistas de todas as tendências, agrupados no seio do Soviete de

Petrogrado, discutiam que rumo tomar diante do caos e da fome, da ruína que assolou mil anos de monarquia.

Revolução Russa - 1917

CAPÍTULO 6
LENIN E A REVOLUÇÃO RUSSA

Eis então que apareceu Vladimir Ilitch Ulianov, conhecido por Lenin, que iria mudar o curso da história russa mais profundamente do que ninguém, depois de Pedro, o Grande. Trazia debaixo do braço a doutrina do comunismo.

Lenin

O comunismo é uma doutrina política, econômica e social baseada na propriedade coletiva dos meios de produção. Tem como ideal a primazia do interesse comum da sociedade sobre o de indivíduos isolados. Através do Manifesto Comunista, escrito em 1848 pelos pensadores alemães Karl Marx (1818-1883) e Friedrich Engels (1820-1895), o comunismo surge como o estágio final da organização político-econômica humana. A sociedade viveria num coletivismo sem divisão de classes nem a presença de um Estado coercitivo. Preveem um estágio intermediário de organização, o socialismo, que instala uma ditadura do proletariado para promover a destruição completa da burguesia, abolir as classes sociais e desenvolver as forças de produção de modo que cada indivíduo dê sua contribuição segundo sua capacidade e receba segundo suas necessidades.

Lenin não parecia talhado para o papel de inflamar os espíritos, oriundo de uma família bem posicionada que lhe proporcionou uma educação clássica. Quando seu irmão foi executado ao conspirar para assassinar o czar Alexandre III, em 1887, descobriu sua veia de incendiário.

Marxista em 1891, Lenin foi preso em 1895 e enviado à Sibéria. Libertado em 1900, deixou a Rússia e viveu em Genebra e Paris durante a maior parte dos 17 anos que se seguiram. Preparando a revolução dos bolcheviques que formavam a ala esquerda do partido dos trabalhadores, a social-democracia russa.

Nem ele nem outros bolchevistas tomaram parte em movimentos insurgentes anticzaristas. Foi com a ajuda da Alemanha, ainda em guerra com a Rússia e evidentemente interessada em agravar os tumultos nesse país, que ele voltou a Petrogrado em abril de 1917, encontrando um governo provisório dirigido por Kerenski e hostil ao Partido Bolchevista.

Com a queda da monarquia, a espinha dorsal do chamado estado burguês foi quebrada; seus interesses sempre foram contrários às aspirações do povo, que se tornou senhor do seu próprio destino. Os camponeses representavam 85% da população e queriam a posse da terra, custasse o que custasse, já, sem trâmites nem cerimônias, imprensados entre os latifundiários e os *kulaks* (pequenos e prósperos proprietários de terra) - a burguesia rural. O operariado exigia a reversão imediata das condições animalescas para humanas na jornada de trabalho. Em ambiente febril favorável a transformações radicais, urgia organizar a economia depauperada pelos desmandos do regime czarista.

Acima de tudo, o problema político, através da ressurreição dos sovietes operários cujo embrião datava de 1905, que passaram a dar a palavra de ordem para toda a massa trabalhadora do país, impondo-se progressivamente sobre o exército, diante de uma burguesia capitalista fraca, desorganizada, sem tradição nem experiência histórica.

Era necessário audácia, mais audácia e sempre audácia, preconizada por Danton 120 anos antes. A cessação imediata da guerra contra a Alemanha e a desmobilização dos soldados voltada para a construção do verdadeiro socialismo, com a convocação urgente de uma Assembleia Constituinte. Entretanto, o governo de Kerenski, que era essencialmente dominado por mencheviques, liberais e burgueses, ainda contaminados pelo vírus do czarismo, perdeu rapidamente sua credibilidade ao não cumprir as promessas e ver engrossar a fila do pão.

Finalmente, na véspera de 7 de novembro de 1917 - 25 de outubro segundo o velho calendário juliano ainda em vigor na época -, os membros dos Sovietes, conduzidos por Leon Trotski, ocuparam os palácios oficiais mais importantes e fizeram prisioneiros os ministros do governo provisório. O Partido Bolchevista assumira o comando dos Sovietes por meio de um quadro de ativistas de acurada consciência revolucionária, orientando militantes batalhadores e obstinados na defesa acirrada dos interesses do trabalhador, sugado até a alma pelo patrão, que se instalaram no poder graças ao seu espírito de organização, unidade de ação e transformar em prática a teoria, com o lema de Lenin: "Paz, Terra e Pão".

Ou seja, a retirada da Rússia na guerra contra a Alemanha, a reforma agrária e a normalização do abastecimento de artigos de subsistência. A fábrica para os operários e a terra para os camponeses. "Todo poder aos Sovietes", proclama Lenin ao ser nomeado presidente do Conselho dos Comissários do Povo. Em seguida, nacionalizou indústrias e bancos estrangeiros, redistribuiu terras e estabeleceu a ditadura do proletariado, inaugurando a política de comunismo de guerra, sob slogans: "Guerra aos palácios!", "Paz na moradia dos camponeses!".

Concederam independência à Finlândia, pela primeira vez, e à Polônia, mas não reconheceram nenhuma dívida contraída pelos czares, espontaneamente institucionalizado como o Dia do Calote. Aboliram a propriedade privada e desmontaram toda a ordem baseada no capitalismo, tal como a iniciativa privada de você ser livre para fazer o que bem entender e isso poder se constituir num eufemismo da liberdade de expressão. Achando a liberdade relativa se o sistema é estruturado para predominar a liberdade de opinião do patrão, das elites, dos donos do dinheiro e da Igreja. Para os comunistas, Deus não existe e muito menos escuta a voz do povo no interesse maior da nação e de suas necessidades.

Alimentaram a pretensão de compreender e interpretar o funcionamento do comunismo, determinando o significado preciso de suas variáveis que compõem a equação do bem-estar da coletividade, através da fé inabalável em uma filosofia pura que os fazia enxergar melhor o mundo ao seu redor. A ponto de o milionário Sava Morósov abrir mão de sua fortuna em favor da causa comunista, sendo sacrificado pela própria família como um traidor.

Todavia, os comunistas ainda não haviam vencido. Logo caem em uma outra guerra, ao se retirarem do *front* de batalha contra os alemães. A descompressão das nacionalidades oprimidas pela aristocracia propiciou o surgimento de movimentos nacionalistas e tendências separatistas. O governo revolucionário bolchevique, constituído como a República Federativa dos Sovietes da Rússia para defender os interesses de uma população numerosa e miserável, também sofria atentados praticados diariamente pelos contrarrevolucionários mencheviques, anarquistas e outros, cujos interesses foram prejudicados.

Os Aliados, Inglaterra, Estados Unidos e França iniciam um cerco econômico aos bolchevistas, pois haviam perdido seus investimentos com a nacionalização dos bancos - nada será como dantes no quartel de Abrantes. O território russo é invadido pela Turquia e Japão, os britânicos se instalam no Mar Cáspio. Até os poloneses tiram uma casquinha e se apoderam de Kiev. Um desdobramento da 1ª Guerra Mundial se afigura e os bolchevistas começam a perder o controle da situação.

Em julho de 1918, com a dissolução da Assembleia Constituinte, os sovietes assumem o poder desde a mais pequena aldeia até o topo da pirâmide, em Congresso constituído por Comissários do Povo. Agora é bola ou búrica, russo vermelho contra russo branco, comunistas contra um somatório de contrarrevolucionários: proprietários rurais, burgueses, comerciantes, militares e policiais reacionários.

Corria o boato de que um destacamento do Exército Branco se apressava em libertar o czar Nicolau II. Por questão de segurança, ele e sua família já haviam sido autorizados a viajar para a Sibéria num trem particular com a seguinte escala de serviçais: 7 cozinheiros, 10 escudeiros, 6 damas de companhia, 2 criados de quarto, 1 enfermeira, 1 médico, 1 barbeiro, 1 mordomo e 1 enólogo.

O verão sangrento de 1918 prometia. Os Romanov foram condenados à morte, na calada da noite, a tiros de pistola e golpes de baionetas, e seus corpos levados para uma mina onde se dissolveram em 200 litros de ácido sulfúrico. A militante anarquista Fania Kaplan disparou três tiros, no pescoço, no braço e na perna de Lenin - o líder considerado herói pelo povo, gerando graves problemas de locomoção e fala.

Irrompeu um clamor incontrolável pela punição daqueles que estavam a aterrorizar e impossibilitar o desenvolvimento da Rússia soviética. Os fins justificam os meios. O que importa é construir o Estado comunista e alcançar a ditadura do proletariado. Tudo que for realizado para avançar nesse rumo é justificável e revolucionário. Passou-se, então, a combater a violência com uma violência ainda maior contra todo suspeito de envolvimento em atividades terroristas contrarrevolucionárias ou espionagem para as potências estrangeiras.

Cria-se a *Cheka* (Comitê contra Atos de Sabotagem e Contrarrevolução), uma polícia secreta nos moldes da *Okrana* czarista, só que a serviço da causa comunista, cuja função era executar, sem julgamento, os traidores da Revolução de Outubro. Os primeiros foram os anarquistas. A preferência recai sobre São Petersburgo, rebatizada de Petrogrado na 1ª Guerra Mundial por ser um nome alemão. Sua fama cultural e espírito de independência tornaram-na suspeita perante os olhos dos novos dirigentes. À perseguição maciça, não hesitavam em atirar sobre manifestantes - não havia espaço para sentimentalismo barato. Contrarrevolucionário não vinha carimbado na testa; uma ajuda externa de 14 países os sustentavam.

O respeito à vida humana, o caráter e a integridade revolucionária como base de uma nova ordem social foram repudiados como sentimentos burgueses. Puderam ser heróis e ignóbeis ao mesmo tempo, arrancar confissões e não admitir a inquisição, mentir e difamar em nome do idealismo. Promover execuções, legítimo, do ponto de vista revolucionário.

Durante os três anos que se seguiram, as forças anticomunistas, constituindo o que se chamava de Exército Branco, lutaram contra o Exército Vermelho. Porém, os ex-oficiais do exército czarista não estavam preparados para combater a natureza ideológica do adversário. A crença era maior, a julgar pelo entusiasmo de Leon Trotski, que se revelou um brilhante estrategista como comandante em chefe do Exército Vermelho. Embora mais bem equipado, o Exército Branco era numericamente inferior e não contava com a ajuda popular - a ideologia anticomunista só viria mostrar suas garras na Guerra Civil Espanhola.

O país mergulhou numa anarquia administrativa em meio a pilhagens, chacinas e miséria. O conflito custou a vida de mais de 15 milhões de russos, se somarmos os abatidos na 1ª Guerra Mundial e os vencidos pela fome. "A força é parteira de toda sociedade grávida de uma nova sociedade", com o sangue assinaram embaixo de um país em ruínas.

Em março de 1921, explode a revolta dos marinheiros de Kronstadt, exigindo novos rumos para o comunismo com eleições livres para os Sovietes. Tarde demais. O novo regime já se estabelecera - sobrevivera à prova de fogo. Massacrados os sediciosos, surge a União das Repúblicas Socialistas Soviéticas - URSS.

Industrialmente, a mais atrasada de toda a Europa. A abolição do direito de propriedade retirou do mercado ¾ do trigo e despencou a produção industrial numa proporção de 100 para 10. A ruína das terras mais ricas e a requisição dos excedentes dos camponeses pobres diminuíram as provisões familiares, a destruição e desorganização das forças produtivas geraram escassez - uma ruptura perigosa entre o campo e as cidades. O governo decide recuar em suas ambições de implantação imediata do comunismo de guerra e retomar temporariamente a iniciativa privada, com a venda da produção agrícola livremente nos mercados e o pequeno comércio particular - é a NEP, a Nova Política Econômica. Muito embora o Estado retivesse em suas mãos os setores mais vitais, como bancos, comércio exterior, mineração e transporte.

Anos difíceis de inanição provocam o esgotamento e a apatia nas massas, comportamento que favoreceu a implantação da ditadura partidária - proibidas as facções dentro do Partido Comunista, estenderam a ditadura sobre si próprios -, repercutindo negativamente para a causa do socialismo internacional.

Lenin critica a lentidão do processo pós-revolucionário e sugere ao Politburo (Comitê Central do Partido Comunista) a escolha de um secretário-geral para coordenar as atividades do Partido, incumbido de mediar os interesses entre as lideranças e os correligionários. Um cargo mais burocrático que político, segundo os pensadores bolchevistas; numa apreciação rasa, uma tarefa incômoda como a pedra no sapato. Josef Stalin foi candidato único. Um georgiano filho de sapateiro e de lavadeira, ambos analfabetos.

CAPÍTULO 7
A INABALÁVEL FÉ NO COMUNISMO

Pouco antes de se ordenar seminarista, Josef Vissarionovitch Djugashvili foi expulso em 1899 por aderir às ideias de Karl Marx. Adotou o nome de Stalin (homem de aço) como editor do Pravda (A Verdade), jornal recém-fundado por Lenin, quando foi condenado ao seu mais longo exílio na Sibéria (1913-1917). Planejou e participou ativamente da Revolução de Outubro, assumindo o cargo de Comissário do Povo para Assuntos das Nacionalidades. Chamara a atenção de Lenin por suas "expropriações de fundos", melhor dizendo, confiscar dos bancos o que eles roubaram do povo.

Eleito secretário-geral do PC dois meses antes de Lenin sofrer seu primeiro derrame cerebral, ninguém apostava nele como um concorrente ao poder em 1922. Não levaram fé nas ambições de Stalin - o que vem de baixo não atinge. Passo a passo, quase sem ser percebido, foi conquistando espaço e construindo uma máquina política dentro do Estado soviético, ao ser incumbido pelo partido de preparar uma nova Constituição que definisse os vínculos e o grau de subordinação da Federação das Repúblicas Socialistas a Moscou.

Simplesmente, suprimiu a autonomia dos povos não-russos e cassou-lhes o direito à identidade própria. Enquanto se recuperava do segundo derrame, Lenin teve de ouvir as queixas do povo da Geórgia. Apreensivo, sugere em seu testamento político que os companheiros criem uma maneira de substituir Stalin por alguém mais tolerante, menos genioso e rude. Esquecera-se de suas previsões sobre a NEP -

"um passo atrás, para dar dois passos à frente". O comunismo ainda não havia se consolidado diante do imenso analfabetismo do campesinato e da pouca qualificação do operariado. Acometido pelo terceiro derrame, avisa a Trotski para não deixá-lo assumir o poder - mau sinal, sua mente privilegiada estacionara nos sonhos. Os espiões de Stalin interceptaram a mensagem, os ideais se converteram em um ninho de cobras, a briga era de foice.

No desenlace do quarto derrame, Lenin morre em 1924, consequência da intoxicação do chumbo da bala que nunca pôde ser retirada. O despotismo se enraíza como obra de uma engenharia política que adquiriu por fim autonomia própria, finalizando por converter os comunistas em partido único, independentemente de quem iniciou com as peças brancas ou pretas no jogo de xadrez.

Na guerra da sucessão, Stalin se sobressai perante Kamenev e Zinoviev, o triunvirato que assumiu com plenos poderes sobre o Estado. Responsável pela organização partidária e pela admissão ou exclusão de correligionários, acabou por ser o veículo da nova situação em que os administradores foram ocupando o lugar dos teóricos agitadores e arquivando o ímpeto revolucionário da época heroica. Isolando Trotski, incansável em apontar defeitos na burocracia do partido que cerceava a liberdade de seus membros e reprimia a crítica legítima.

Stalin foi um dos poucos líderes da Revolução de 1917 que não veio da intelectualidade, burguesia ou da baixa aristocracia rural, como Lenin, Zinoviev e Kamenev, nem possuía o dom da oratória de Trotski ou Bukharin. Particularidades que inevitavelmente suscitam um certo complexo de inferioridade em uma personalidade de pai alcoólatra, que frequentava saunas, desacompanhado, por vergonha de exibir o físico. Compensado pela aptidão em compreender por simples indícios, pelo faro em descobrir segredos e pela habilidade em despistar, que o tornaram célebre na estratégia política.

Graças a seus parcos recursos teóricos, não se manteve atrelado a princípios ideológicos para se lançar numa das mais formidáveis e traumatizantes aventuras do século XX, acuado pela necessidade de fazer frente ao cerco econômico capitalista: a transição vertiginosa de um país agrário para um país industrializado, num ritmo sem precedentes. Havia que dar curso, portanto, ao seu inexorável destino de, aos poucos, se tornar senhor absoluto do poder na União Soviética, afastando as figuras de proa que lhe faziam sombra.

A exemplo de Lev Davidovitch Bronstein, Leon Trotski, ucraniano filho de fazendeiro judeu, de formação cosmopolita e internacionalista, considerado o intelectual mais brilhante da Revolução Russa, que participou ativamente da germinação do comunismo no Soviete dos Trabalhadores de São Petersburgo como líder de uma ala esquerdista dos menchevistas. Desterrado para a Sibéria várias vezes, fugia para Londres, Viena, França, Espanha e Estados Unidos, até que ingressou no Partido Bolchevique. Eleito presidente do Soviete de Petrogrado, desempenhou papel essencial nas lutas pela tomada do poder. Dirigiu as negociações de paz com a Alemanha que resultaram no Tratado de Brest-Litovsk e tornou-se Comissário de Guerra à frente da política econômica do comunismo de guerra, considerado como o autêntico sucessor de Lenin.

Trotski

Estabelece-se entre os comunistas uma disputa sobre os rumos que a Revolução Socialista iria tomar, enquanto fenômeno internacional. Trotski defendia, como Lenin, a doutrina da "revolução permanente". Ou seja, o comunismo só triunfaria na União Soviética com a exportação da Revolução Comunista, isolada que estava do resto do mundo através da Política do Cordão Sanitário. Stalin sustentava a tese do "socialismo num só país": o comunismo deveria vencer primeiro na Rússia. Se tentassem exportar, dariam o troco e a URSS desapareceria. Em 1927, findo o embate pela disputa da tese, Trotski perde o Comissariado e a guerra, sendo expulso do Partido Comunista e deportado para a Turquia em 1929.

Surgia o stalinista típico, duro, eficiente e frio no cumprimento da missão, afeito à centralização do poder. Emerge de uma geração descendente de servos e camponeses - a classe operária dominando o jargão convencional do marxismo. De formação cultural distinta da velha guarda partidária, uma elite intelectual, forjada na alta especulação teórica, com andanças pelo exterior.

O isolamento em que o país se encontrava aprofundou-se mais ainda. A União Soviética teria que se lançar na construção do socialismo enfrentando os incontáveis fatores adversos com seus próprios recursos, embora fronteiras sejam incompatíveis para o socialismo, devido ao seu caráter internacionalista que preconiza a aliança internacional do proletariado.

Para começar a história, Stalin rompeu relações com a Inglaterra. Sem fazer maiores considerações, ele se propôs a fazer da União Soviética uma potência mundial, pois sabia haver uma fortuna prodigiosa em minério enterrada no solo. Medida pelos padrões de hoje, carvão suficiente para consumo de sete mil anos, petróleo para enriquecer toda a população muçulmana, gás natural e florestas para esbanjar calor no frio, turfa em pântanos para gerar um festival de energia. Campeão mundial de minério, ferro, manganês e outros necessários à tecnologia moderna (cromo, titânio, cobre, chumbo, mercúrio, platina, prata).

Ouro, atrás apenas da África do Sul; diamantes, tanto quanto Zaire e Botsuana.

Explorar a Sibéria de olho na força de trabalho resultante de expurgos que serão realizados e nos imensos rebanhos de renas, que dão carne, leite e couro. A Sibéria do lago Baikal, com os seus 640 km de comprimento e 80 de largura em forma de cimitarra; a mais extensa bacia de água doce do mundo e a mais profunda, com 1500 metros. Paredes espessas e janelas de três vidraças isolam a temperatura de menos 50°C; a água potável é fornecida em blocos sólidos, serrados no rio; o leite sob a forma de tijolo, com alças de madeira encaixadas para facilitar o transporte; carnes penduradas no varal que, aquecidas na banha, estavam prontas para servi-los. Às margens do lago Baikal, Irkutsk, fundada em 1652 por cossacos que queriam se livrar da autoridade do czar, tornando-se os primeiros exploradores das riquezas da Sibéria, submetendo ao seu controle os caçadores da região que a transformaram na capital da pele no mundo inteiro. Peles de raposa branca e prateada, esquilo, arminho, *mink*, marta, urso-polar, gato selvagem, lontra e rato-almiscarado, coletivizados - hoje, objetos de viveiro.

Tesouros localizados nos Urais e na Sibéria, a milhares de quilômetros da fronteira mais próxima, fora do alcance das garras do inimigo. A União Soviética não queria mais depender do estrangeiro, aprovisionando seus produtos químicos, tratores e tudo que assegurasse sua independência técnica e militar.

O primeiro Plano Quinquenal lançado por Stalin, em 1928, determinava a coletivização total da agricultura e da pecuária, desfechando a luta final contra a última classe capitalista da União Soviética, a dos *kulaks* - 5 a 7 % dos camponeses. O Estado assumia a propriedade e o funcionamento de todas as fazendas, passando por cima da resistência de 100 milhões de camponeses em 25 milhões de minifúndios, especialmente os mais prósperos com a NEP. Os *kulaks* incendiaram a colheita, tocaram fogo nas granjas e mataram militantes bolcheviques, exterminando 85 milhões de animais, equivalente à metade do rebanho bovino, equino, suíno e caprino - fora galinhas e patos. Milhares de *kulaks* foram mortos ou mandados para a Sibéria, o que causou uma grande fome enquanto não se mecanizava a agricultura e a organizava em fazendas coletivas - *kolkhozes*, as cooperativas - e fazendas do Estado - *sovkhozes*, trabalho assalariado no campo.

As execuções e os sacrifícios impostos à população se deram no curso da maior luta de classes que o mundo jamais viu, ao procurar resgatar o camponês da Idade Média. De condições de vida e de trabalho degradantes, imerso no analfabetismo, por forças interessadas em manter a exploração. Somente a coletivização tornaria possível a mecanização socialista da lavoura, retirando-o do obscurantismo.

O Plano Quinquenal desenvolveu uma rápida industrialização, concentrando na indústria pesada - siderurgia, mineração e infraestrutura de maquinarias e equipamentos - uma imensa força de trabalho e nos fartos recursos naturais do país para transformar uma economia baseada na agricultura num moderno estado industrial. Resultou na edificação de uma sociedade socialista independente e próspera que elevou a qualidade de vida do povo soviético a um nível notável de igualdade econômica, erradicado o analfabetismo e expandido o ensino técnico. Numa economia altamente centralizada em que se carimbava cada rublo disponibilizado com o gasto a que era destinado, se estabeleceram metas de produção restringindo os bens de consumo, fixaram-se preços e alocaram-se matéria-prima e mão de obra para todas as empresas estatais. Quantas toneladas de aço uma siderúrgica iria produzir, quantas refeições o restaurante poria na mesa.

Na arquitetura do paraíso comunista não cabiam a dívida externa, impagável, posto que contraída pelos czares na exploração do homem pelo homem; os juros, execrada a figura do banqueiro; o lucro, com a ganância a pautar o ato de tirar partido; os dividendos, a remuneração da ação que não privilegia o trabalho; *royalties*, direitos sobre a intragável propriedade. Onde se encaixa o ser humano nessa parafernália de artefatos capitalistas? Se a manutenção do mesmo ritmo intenso de produção, como nos tempos da 1ª Grande Guerra, ocasionou uma prosperidade ilusória e a consequente quebra da Bolsa de Valores de Nova York provocou a falência de quatro mil bancos, a redução de 50% na renda nacional e 40 milhões de desempregados nas nações capitalistas que exportavam e importavam dos Estados Unidos - o novo centro da economia mundial.

Esse estado de incertezas abalou os alicerces do capitalismo em 1929, uma oportuna justificativa para os comunistas questionarem as liberdades de ir e vir, de expressão e de organizar-se em partidos, tidas como mentoras da desordem e do caos. Afinal de contas, se acelerava a industrialização conforme o primeiro Plano Quinquenal, representando a dramática construção de uma nova sociedade, em contraste com o panorama de depressão no Ocidente. A vida dura decorrente dos sacrifícios em prol da industrialização foi aceita pelos trabalhadores em nome de sua própria causa, ao escreverem páginas de heroísmo soviético, criando com as mãos aquilo que antes parecia um sonho. Era preciso assegurar a sobrevivência da pátria socialista e de seu povo antes de se pensar em melhorar o padrão de vida.

Com o objetivo de racionalmente distribuir a população por entre as repúblicas que integravam a União Soviética, de modo a impulsionar o país a intensificar a exploração econômica de seus recursos, o Politburo resolve promover a transferência compulsória de grandes contingentes populacionais e impor o alfabeto cirílico aos não-russos. Que se calem todas as manifestações de patriotismo local, no que depender de Stalin, fanaticamente pró-Rússia - a tendência do nacionalismo é isolar-se e fechar-se em sua crosta. Ao tempo em que patrocinava grandes reuniões da Internacional Comunista (Komitern), lançando diretrizes que deveriam ser seguidas por todos os filiados em seus países, de forma a interferir no progressivo processo comunizante do mundo.

Stalin sempre detestou São Petersburgo, mesmo depois de rebatizada Leningrado, por parecer mais europeia do que russa. Nunca confiou nos leningradenses, cuja cidade serviu de janela da Rússia para o Ocidente e berço de figuras intelectuais e culturais mais proeminentes à época do czarismo. Em 1926, já expulsara Zinoviev da presidência do Soviete de Leningrado, por se haver aliado a Kamenev em oposição à sua liderança, e investira no seu lugar Serguei Kirov, com a incumbência de efetuar uma operação limpeza nos quadros partidários.

Stalin tornou-se mestre em fomentar acusações sobre complôs de rivais na escalada hierárquica comunista para quebrar a oposição, centrada nos excessos de sua campanha para forçar os camponeses a aderir às fazendas coletivas. Cria a NKVD (Comissariado do Povo para Assuntos Internos), transmutação da *Cheka* a serviço da repressão e da manutenção da ordem nos padrões comunistas, cujas garras se estenderam aos seus adversários políticos dentro do próprio Partido Comunista.

A luta contra a burocracia é a pedra de toque em defesa da pureza da linha bolchevique, combatendo as influências remanescentes do czarismo e de sua aristocracia opressiva. Havia que reforçar a educação política e depurar periodicamente o Partido de arrivistas e carreiristas que se instalavam para corromper a disciplina. Principalmente, se resistirem ao controle político e a campanhas políticas de massa, pensando o comunismo mais à frente.

A eliminação seria a via de escape. Iniciam-se os grandes expurgos da década de 30. Stalin foi decidido e meticuloso na seleção dos inimigos em potencial. Antigos camaradas a caminho da prisão, do julgamento, do exílio e do cadafalso, não necessariamente nessa ordem. Vivalma permaneceu incólume, todos tiveram de passar pelo buraco da agulha. Era a hora e a vez do traidor do regime. O primeiro amigo de Lenin assassinado foi o Comissário da Defesa, Mikhail Frunze, na mesa de operação, por conta de uma úlcera curada.

Antevendo o espetáculo que estava por vir, Nadejda Allilueva, esposa de Stalin, resolve sair de cena e procurar refúgio no purgatório em 1932, pois no inferno já se encontrava - desilusão devastadora e depressão insuportável apertaram o gatilho. Foi um golpe no prestígio de Stalin, que se sentiu humilhado por testemunharem tamanha demonstração de fraqueza em sua própria cidadela. Kirov se torna o seu companheiro inseparável, o camarada que mais privava de sua intimidade.

No entanto, seu assassinato com um tiro na nuca em 1º dezembro de 1934, nos corredores de um prédio cercado de segurança, vitimou o próprio povo identificado com sua infância de pobreza e privações que o transformaram num sobrevivente. Irrompeu uma cadeia de suspeição e paranoia que expôs às vísceras o sistema político stalinista: denúncias, ameaças e golpes pelas costas, a tônica. À procura de espiões e inimigos, de uma vasta conspiração por trás do crime.

Stalin transformou a morte de Kirov num fator altamente desestabilizador, inaugurando uma via expressa para a retaliação e o esmagamento de lideranças que deram consistência à estruturação ideológica do Partido Bolchevique. Sob a alegação de não virem encarando a violência da luta de classes e as dificuldades da construção socialista. Uma rara oportunidade para testar a lealdade ao regime num processo aleatório e autofágico que sacrificou inimigos reais ou imaginários, obedecendo a um cronograma de vinganças cuidadosamente planejadas. O assassinato serviu como catalisador para deslanchar a fúria do Estado totalitário e policialesco em maciços e sangrentos expurgos que espantaram o país e o mundo, quando atingiu o seu auge no período de 1936 a 1938.

Ouviam-se boatos sobre o testamento de Lenin e sua recomendação para que Stalin fosse defenestrado - é o que estaria por trás do crime. O perigo em protestar contra injustiças do regime e proteger pessoas da sanha da NKVD aumentou. Havia que agir preventivamente antes que a oposição ganhasse vulto explorando insatisfações aqui e ali, o que o obrigou a afastar-se do contato com o povo e fazer raras aparições em público.

Não foi difícil para Stalin iniciar uma guerra contra Leningrado. Deporta em massa antigos membros da nobreza, ex-funcionários e ex-policiais czaristas. Sob a desculpa de extirpar todos os remanescentes da oposição, executa trotskistas e zinovievistas.

Alquebrados pelos interrogatórios e insuportáveis condições de prisão e sob garantias de Stalin de que suas vidas seriam poupadas, Zinoviev e Kamenev concordam em ir a julgamento público de repercussão internacional e confessam com detalhes sinistros como haviam planejado o assassinato de Kirov e organizado o grupo terrorista para matar outros líderes bolcheviques.

A devassa alcança a NKVD, que controlava a segurança de Kirov. Seu chefe, Iagoda, via-se agora rebaixado do papel de carrasco, sob a cobertura de Stalin, para o de vítima de Stalin. Iagoda coopera e incrimina Bukharin, o principal teórico do Partido a par da conspiração e do golpe de Estado desmascarado. Como redator-chefe do jornal governamental Izvestia, pregava a cessação da vigilância ideológica, a conciliação das classes sociais e a melhora imediata do padrão de vida. Em sua defesa, Bukharin não ousou se opor abertamente à linha do Partido, para poupar sua família do mesmo destino que lhe estava reservado.

Stalin se aproveitou do posicionamento de Bukharin em favor de políticas contrárias ao modelo stalinista, explorando o fato de que os bolcheviques deram o seu sangue para implantar e consolidar o comunismo, não cabendo convergir para o desacordo permanente, gerando dissidência, uma facção, um segundo partido e, por fim, a contrarrevolução, ameaçando a própria existência do Partido. Justo em 1937, quando amainaram os efeitos da coletivização no campo e a industrialização prosseguia a todo pano. "O socialismo venceu no nosso país", anunciava com ufanismo o Pravda.

Pesadas acusações humilhavam e degradavam bolchevistas de estirpe, que preferiram o silêncio a despir o rei e provocar rachas que colocariam em perigo o comunismo, se questionassem a versão oficial do que acontecera a Kirov, oferecendo-se em holocausto aos sagrados princípios da causa.

Todos eram inculpados, fossem inimigos declarados, potenciais ou meros suspeitos. E nunca se chegava ao conspirador-mor ao puxar o fio da meada. Nem o exército nem a polícia secreta ficaram imunes, numa demonstração de debilidade da *intelligentsia*, que criou um enorme vazio no aparelhamento da defesa do país, o que acabou beneficiando Hitler.

A depuração propriamente dita que provocou verdadeiro pânico ocorreu de 1937 a 1938, com a defecção do marechal Tukhatchevski e outros comandantes envolvidos no golpe. Os militares nunca aceitaram o controle exercido por comissários políticos sobre a tendência bonapartista de oficiais superiores. O radicalismo revirou a máquina política e destruiu a burocracia do partido, sobretudo no nível de suas estruturas intermediárias, infestadas de carreiristas e traidores infiltrados.

Com a execução dos últimos oponentes bolcheviques, faltava um que, em julgamento-espetáculo, foi sentenciado à morte, à revelia, por complô armado do exterior para derrubar Stalin e a seu autoritarismo. Em 21 de agosto de 1940, Trotski foi assassinado no México pelo agente stalinista Ramon Mercader, a golpes de martelo de alpinista em sua cabeça.

Trotski acreditava que identificar o regime soviético no seu todo com o fascismo era um erro histórico grosseiro. O comunismo persegue a utopia da igualdade em regime de revolução, eliminando as classes sociais a partir do confisco do lucro embutido na exploração do homem pelo homem, enquanto no fascismo, o pleno emprego, em regime capitalista de opressão, garantiria o bem-estar do cidadão com o acesso a uma escala crescente no consumo. Contudo, a simetria de ambas as superestruturas políticas e a similitude dos métodos totalitários e dos tipos psicológicos impressionavam, ao passo que a vigilância ideológica pressupunha uma sociedade amordaçada e sem ânimo ou moral para oferecer resistência. A burocracia decapitava todo espírito independente para ela mesma se preservar.

Ninguém poderia deter Stalin. Que se calem as críticas e a inconfidência. À expulsão do partido, privação do cargo, cárcere ou exílio, o pelotão de fuzilamento teve maior poder de fogo intimidador e coroou a farsa judicial que pôs a nu a capacidade de manipular. Todos imergiram numa postura de aceitação passiva e incondicional do terror - o suicídio era a única forma de protesto que restava. O dicionário comunista incorpora a nova terminologia, cair em desgraça; seu antônimo, reabilitar, depois de reeducá-lo ideologicamente.

Expropriados a antiga aristocracia, os banqueiros, os proprietários de terra e os comerciantes do regime czarista, combatidos os donos de pequenos negócios, *kulaks* e pastores nômades, restaram sequelas em inimigos ferozes do comunismo e de suas ideias. A caça às bruxas, no afã de eliminar contrarrevolucionários, golpeou indiscriminada e arbitrariamente todos os componentes da sociedade soviética, na razão direta de defender conquistas retumbantes sobre símbolos capitalistas como a agiotagem, a especulação e a acumulação em tão poucas mãos ser um convite à guerra em torno da fome. Afinal, não se trata de força de expressão: ganância, em espanhol, significa lucro.

A fé inabalável do comunismo em proletarizar a sociedade e erradicar o ranço elitista fomentador da divisão em classes sociais, e a consequente disputa em que cada um explora o que o outro tem de melhor, gerou uma espiral de extermínio ao cerrar posição sobre direitos, ganhos e deveres do ser humano. Firmou-se o princípio de não discriminar o próximo para tirar vantagem. Somos todos iguais - uma utopia para se pôr em prática.

Muito embora o instinto de sobrevivência dos ideais da Revolução Russa tivesse falado mais alto, o confronto ganhou corpos e marcha fúnebre, ofuscando a razão e ferindo a alma russa.

CAPÍTULO 8
O REALISMO SOCIALISTA E A ARTE

Stalin foi um dos personagens mais tirânicos da história da Rússia, rivalizando na repressão com Ivan, o Terrível, de quem copiou o método de sacrificar os familiares dos traidores do regime. No ápice de um reinado de terror, os cidadãos acusados de crimes políticos graves eram torturados até confessar, julgados secretamente por tribunais policiais e executados. Se o delito correspondia a um desvio da linha do Partido, o renegado era obrigado a assinar uma confissão negociada com os prepostos da Justiça, que se transformava em hábil peça dos autos para aguardar a morte nos *gulags* da Sibéria - campos de trabalho forçado com rações de fome e enfermidades endêmicas. Sem contar a prática de enviar dissidentes para instituições psiquiátricas como esquizofrênicos, a fim de evitar julgamentos públicos potencialmente embaraçosos e desacreditá-los como produto de mentes doentias.

As acusações variavam de elogios à capacidade técnica do capitalismo e à sua democracia ao servilismo em relação ao padrão de vida ocidental. Discordar era um comportamento desviante considerado perigoso e atentatório aos interesses do proletariado, pelo qual o governo zelava. Conta-se que Stalin organizava jantares que atravessavam a noite, em que membros do seu círculo íntimo eram obrigados a comparecer e entornar copiosas doses de vodca sob o sapateado da dança cossaca. Enquanto ele anotava, de cabeça, algumas confidências que vazavam à revelia dos dançarinos bêbados, sorvendo o delicioso vinho georgiano.

Ele não poupou intelectuais, economistas, historiadores, engenheiros, cientistas, músicos, pintores e escritores, assim como centenas de comunistas estrangeiros que tiveram a infelicidade de se achar em território russo durante a radicalização do stalinismo. Acusadas de burgueses direitistas, milhões de pessoas foram enviadas para os *gulags* e a maior parte perdeu a vida.

Ele também não perdoou os religiosos que não abriram mão de sua crença. Pesou na balança a conivência da Igreja Ortodoxa com a degradação moral do czarismo, imersa numa catedral de regalias e assentada ao lado do trono. Um conluio que manteve o *status quo* do campesinato no analfabetismo, fator que influenciou na demolição do Templo de Kazanski e da Catedral do Cristo Salvador em Moscou, respectivamente transformados em mictório público e academia desportiva, com piscinas para forjar nadadores que elevassem o comunismo ao pódio nas Olimpíadas.

O peso do passado bárbaro e rude da Rússia voltou a pairar nas esferas do poder e no modo de agir e pensar dos dirigentes. Suzdal, originalmente Convento de Carmelitas, teve sua área de atuação redirecionada para presídio e, posteriormente, laboratório para testar armas bacteriológicas, precursoras do Antraz. Stalin mandou as freiras para a Sibéria, executando as recalcitrantes. 30 anos antes, Tolstoi fizera jus a uma reserva de cela, previamente preparada, por ofender a fé ortodoxa ao não se deixar possuir ou não professar fé no czar - a balança oscila conforme o regime, mas o oponente político tem sempre o mesmo destino.

A implacável hostilidade de Stalin em relação a qualquer obra de arte moderna contribuiu para a queda da pintura e da escultura russa, de longe os artistas mais ousados e precoces no *boom* vanguardista, em vertiginosa ascensão desde o primeiro movimento radical de abstração geométrica de Malevitch. Vasily Kandinsky e Marc Chagall já haviam fugido da ortodoxia soviética para conquistar fama no Ocidente com suas formas experimentais nas abstrações puras que acabaram com todo e qualquer elemento realista.

Em 1930, a mão de ferro de Stalin pôs fim a um período de efervescência artística e cultural, acelerado a partir de 1890, traduzindo-se em publicação de centenas de jornais e revistas, poetas vivendo apenas de poesias e Stanislavski revolucionando a técnica de representar. Destrói a vanguarda quando decreta que toda arte tem de ser compreensível para milhões. Entra em cena o realismo socialista exaltando as lutas heroicas do proletariado. A arte como instrumento de propagação da ideologia, a divulgar os aspectos morais e sociais do regime, em detrimento de uma estética pura.

A refletir o grau de infalibilidade e sapiência do Partido Comunista, condena-se a abstração e o construtivismo que afetaram as artes gráficas e a arquitetura, com seu geometrismo dinâmico a interpenetrar planos que decompõem as formas e desprezam a perspectiva do espaço tridimensional que nos aprisiona. Em seu lugar, a Universidade de Moscou, o Hotel Ukranya, Hotel Moscou e as instalações da KGB, cuja majestade de uma arquitetura opressiva não nega o ato falho fascista que a inspirou. Quem rabiscou na prancheta o imponente edifício-torre do Ministério das Relações Exteriores, seguramente assistiu no dia anterior ao filme *Metrópolis*, de Fritz Lang. O povo endossa com patriotismo e constrói com suas próprias mãos o fabuloso metrô de Moscou, cujos trens circulam ao correspondente de quatro andares abaixo do nível do solo.

Por estar voltado para o coletivismo e atender às necessidades básicas do cidadão, de comer, morar e se vestir condignamente, com direito a escola, saúde e transporte gratuitos, Stalin entendeu que poderia intervir no imaginário soviético face a face com as transformações radicais no seio da sociedade e do indivíduo, por extensão, na escalada da Revolução Comunista. Deixando para trás o imaginário russo pintado com cores tão fortes por artistas descomunais de nomes carregados de "k", "y" e "v", que se materializou ao inserir a realidade concreta do indivíduo, traduzida na angústia, no centro da especulação filosófica relacionada ao que fazer nessa existência.

Contudo, não há como ignorar que, em todas as grandes obras de arte, sua universalidade transcendeu tempo e local; sua ressonância lhe conferiu um estranho poder. O que a distinguiu das realizações culturais de outras nações, pois evocou o espírito do povo russo e as nuances que montaram o quebra-cabeça de dimensões continentais, tão bem personificados em *Guerra e Paz* de Leon Tolstoi em 1865.

Como grande admirador da cultura eslava, Dostoievski também exacerbou a crença na Rússia, a salvo da influência corruptora das ideias materialistas do Ocidente, e explorou o remorso em *Crime e Castigo* para resgatar a capacidade de amar seus semelhantes. O universo escuro e atormentado dostoievskiano denuncia o fascínio pela mente criminosa em *Irmãos Karamazov*. A liberdade desbragada conduz ao despotismo amoral em *Os Possessos*, antevendo os regimes totalitários do século XX na única exigência do novo Estado: a obediência irrestrita - todos são escravos e iguais na escravidão.

Crime e Castigo

Dostoievski

O brilho da era dourada na literatura russa teve seu correspondente nas artes cênicas. Tchekov reproduz a Mãe Rússia de 1880 a 1890 com uma riqueza de detalhes impregnados de melancolia e impossibilidades nas peças *Tio Vanya*, *Jardim das Cerejeiras* e *As Três Irmãs*, povoadas de personagens que se mostram incapazes de transformar seus ideais em ação.

Uma época marcada por uma efervescente filosofia alemã que entra em ebulição ao apregoar que um homem "superior" tem direito de esmagar seus inferiores ao avançar para a glória. Para lá foram compositores, maestros, *chefs* de ópera e de filarmônica, gênios russos da música e da dança que estabeleceram padrões universais - a quintessência da arte, tal como a santidade para o espírito religioso.

Enquanto Rimski-Korsakov se inspirava na música folclórica como na famosa suíte *Sheerazade*, Piotr Ilyich Tchaikovsky explorava mais a alma humana com sua inesgotável invenção melódica - o único compositor russo genuinamente romântico. Entre o pique da exaltação e o abismo do desespero, alternou alegria com intensa melancolia, elevando a sensibilidade russa a uma humanidade que transpõe as barreiras políticas. O que fez dele um compositor cosmopolita, extremamente eclético, na composição de óperas - *Eugen Onegin* -, nos poemas sinfônicos, sua marca mais indelével - *Ouverture 1812*, *Romeu e Julieta* -, o maior nome da música para balé - *Lago dos Cisnes*, *A Bela Adormecida*, *O Quebra-Nozes* -, guindando a dança russa à condição de supremacia internacional, de encontro ao que o mundo sempre amou.

Embora o balé já fosse muito popular na Rússia - primeira escola em 1738, influenciada por trupes francesas -, Igor Stravinsky e Nijinsky revelaram ao mundo no início do século XX, no Champs Élysées, o *Pássaro de Fogo* e *A Sagração da Primavera*. Romperam com a escola clássica do balé e o caráter marcial da época, o que aumentou a autoestima, a leveza insustentável de ser dos russos, o orgulho da raça. Pôde-se ver a esbelteza da mulher russa em todas as escalas e compassos. Provém dos galhos e ramas de árvores em movimentos, orquestrados pelos ventos, sintetizados no balé e ampliados por olhos hermafroditas, atônitos de tanta admiração. Sacralizados no Teatro Bolshoi.

Teatro Bolshoi

E não são lendas se se tornam realidade. Lydia Delectorskaya, de 18 anos, chegou a Paris em 1947 e bateu à porta de Matisse, de 78, à procura de emprego. Posou nua - de modelo virou caso. Sua mulher descobriu e o encostou na parede. Ele pediu três dias para pensar, enquanto experimentava a modelo de tudo quanto foi jeito, ao passo que Lydia testava a substância do caldo que iria dar. Matisse acabou por escolher a Rússia como a língua do amor, sete anos antes de sua morte.

Matisse devia saber que os pintores retratistas do século XVI ao século XX refletiam a necessidade da máquina fotográfica, quando reproduziam as caras e bocas, os decotes e as botas, o padrão de beleza da corte. Os espelhos de Versalhes que se espalharam por todas as cortes europeias produzem um jogo que brinca com o infinito, ampliam o recinto e provocam a ilusão de ótica. Brincavam de perspectiva dando vazão ao impulso de tirar a imagem do foco e superpor em outro lugar, onde os cinco sentidos sequer pensaram alcançar.

Na mesma busca *avant-garde*, o futurista Prokofiev abandona a Rússia em 1918 e compõe obras importantes que cultuam a invenção, a velocidade e a máquina, em detrimento do sentimentalismo. De tanto experimentar a vanguarda, cansou sua beleza e desinteressou-se. Preferiu ser acessível ao grande público e retornar ao seu país no período mais crítico dos expurgos stalinistas, quando atendeu aos ditames da estética soviética, que suavizou seu estilo e o fez recuar paulatinamente à tonalidade de *Pedro e o Lobo*. Para compor a trilha sonora dos épicos filmes de Eisenstein, *Alexander Nevsky* e *Ivan, o Terrível*, ídolos de Stalin, parâmetros no exercício da autoridade e pela Rússia unida jamais será vencida.

O cinema surgiu como a arte de massa e entretenimento na América dos imigrantes. No nascer da União Soviética, a expressar o novo homem que iria brotar do marxismo-leninismo. Testemunha ocular, Serguei Eisenstein nos transportou para a turbulência revolucionária comunista e gravou em nossa retina *Encouraçado Potemkin*, *Greve* e *Outubro* para sempre - a cinematografia para fazer pensar. Sobre o que acontece quando o povo toma o poder pelas suas próprias mãos, cansado da exploração que leva à miséria. Sua importância foi a de ser o homem certo no lugar certo - a exemplo de Euclydes da Cunha no romance *Os Sertões*, testemunho vivo da tragédia de Canudos.

A famosa cena da escadaria no filme *Encouraçado Potemkin*

Ao resolver voltar à velha forma, Prokofiev é acusado de formalista e antissoviético ao se preocupar com a técnica na arte. Por stalinistas que julgavam a liberdade artística uma ilusão burguesa. "Tudo o que eu faço, os idiotas não conseguem ouvir de primeira", Prokofiev retruca e realça o paradoxo sem par da cultura comunista: de ele ter atingido tanta magnitude e popularidade num meio hostil à criatividade individual.

Desde os anos 1700, as artes sempre estiveram sujeitas à censura dos czares de todas as Rússias. A diferença na mordaça foi a proibição de críticas ao czarismo, bem como falar mal do czar, em contraste com a obrigação de exaltar o regime comunista e falar bem de Stalin. Um excelente aditivo na criação de fábulas, alegorias e histórias fantásticas que transformaram os cidadãos russos ou soviéticos num dos maiores consumidores de cultura do mundo, medidos em livros, cinemas, teatros, companhias de dança, casas de ópera e mercado negro de cópias piratas.

CAPÍTULO 9
STALIN, HERÓI DA 2ª GUERRA MUNDIAL

O período de 1936 a 1938 é o mais complexo e definidor do século XX, no qual se emaranham o apogeu do nazismo de Hitler e do fascismo de Mussolini com o clímax dos grandes expurgos de Stalin, ao se apropriarem do cenário da Guerra Civil Espanhola, no último ensaio para a 2ª Guerra Mundial. Internacionalizando um inevitável confronto da direita, representada pelo nazifascismo acumpliciado à monarquia e clericalismo espanhol - vulgo TFP, tradição, família e propriedade. Com a esquerda, os defensores da república, representados por diversos socialismos em brigadas internacionais formadas por operários e intelectuais de 53 países - 40 mil voluntários no intento de construir um novo ideário socialista.

Uma verdadeira cruzada que reuniu os comunistas do mundo inteiro, apoiados pela União Soviética com armas, munições e especialistas em guerra civil. Ao se alinhar com os franquistas e seu Generalíssimo, Hitler os transformou em cobaias, quando testou seus aviões Junker e Heinkel em bombardeios a Madri e Guernica - primeiro ataque aéreo da História a alvo civil, mesmo considerando os bascos um povo em eterno pé de guerra.

Ao pretender organizar a guerra da esquerda ordenando ao Partido Comunista espanhol que suprimisse as milícias de cidadãos armados e as integrasse a um exército regular, Stalin acabou com a graça da guerra para anarquistas e trotskistas. Mulheres tiveram que ir para a cozinha e cuidar dos feridos; homens, vestir uniformes. O que provocou mais um cisma numa esquerda que ainda não atingira a maioridade, entre o realismo socialista stalinista pró-republicano e o incurável romantismo anárquico pró-revolução permanente, falecido nos trens estreitamente vigiados e coalhados de judeus, a caminho dos campos de concentração. Acelerando uma das maiores derrotas que a esquerda já sofreu.

Em vista de os expurgos na União Soviética já representarem pesadas baixas nos principais postos de comando, Stalin resolveu suspender o suporte militar dado aos republicanos espanhóis sem qualquer aviso prévio. Aos poucos, sem que se apercebessem, para não causar maiores traumas. Hitler demonstrava claramente sua disposição para a guerra sem fronteiras - para que exibir a máquina de guerra soviética antes do tempo? Urge sim proteger o patrimônio comunista do rolo compressor nazista antes que seja tarde.

Stalin

O comunismo em vias de consolidação tornou-se o demônio a ser enfrentado na década de 30 a ponto do nazismo em gestação conquistar apoio de capitalistas acima de qualquer suspeita, como Henry Ford e Duque de Windsor (o que renunciou ao trono do Reino Unido, em 1936). Muito embora os democratas identificados com os ideais americanos e ingleses habitualmente vinculassem a ideologia do nazismo ao comunismo. Não viam grandes diferenças por Hitler ter dissolvido os partidos políticos, criado a Gestapo e campos de concentração, eliminado seus opositores na famosa "Noite dos Longos Punhais", inclusive os de seu Partido Nacional-Socialismo. No entanto, a doutrina hitlerista tinha muito mais de nacionalismo do que socialismo, em favor dos trabalhadores em pleno emprego numa economia reabilitada à custa de armamento e de pesquisas científicas voltadas para a produção bélica e iminente eclosão de guerras.

Quando Hitler preconizava o fim da burguesia, referia-se a salvar a Alemanha do capitalismo internacional com o confisco de propriedades estrangeiras e fim das cobranças exorbitantes de juros por judeus sem nação constituída, cuja pátria repousava no controle do sistema financeiro internacional. A raça alemã, o povo alemão, a síntese da hegemonia do sentimento nacionalista exaltado, livre de qualquer influência estrangeira, era a única classe que deveria existir.

Stalin conhecia bem essa lição, de cor e salteado. Em 1939, enfrentou sua prova mais difícil: a hora e a vez de passar pelo buraco da agulha ao assinar um pacto de não agressão (Ribbentrop-Molotov) com a Alemanha. Hitler sabia que iria à guerra com a Inglaterra e França e não queria repetir o erro de 1914, quando os alemães lutaram em duas frentes. O acordo visava, pois, a neutralizar o Exército Vermelho. Em contrapartida, Stalin precisava reorganizar suas Forças Armadas e completar a transferência do parque industrial soviético para a parte asiática do país, a fim de manter sua capacidade ofensiva na eventualidade de uma invasão.

A consequência foi a partilha da Polônia entre alemães e soviéticos. A Alemanha partiu para recuperar o chamado Corredor Polonês, estreita faixa de território que dava acesso ao atual porto de Gdansk, perdido, de acordo com o Tratado de Versalhes, em função da derrota na 1ª Guerra Mundial. Num abrir e fechar de olhos, a Polônia é ocupada em três semanas. A fim de resguardar a costa báltica, a União Soviética anexou a Lituânia, Letônia e Estônia, levando quatro meses para ocupar a Finlândia, com elevadas baixas e danos em seus tanques provocados por coquetéis Molotov - nome dado pelos finlandeses, por ironia, ao diplomata russo que assinou a trégua com a Alemanha. Em menos de dois anos, a História se repete duas vezes. Na primeira, Hitler é assaltado pela alma de Brutus e esfaqueia pelas costas César, o czar Stalin – voltou-se contra seu aliado de pacto e invadiu a Rússia no verão de 1941. Na segunda, o General Inverno se encarrega de soterrar o inimigo, mais uma vez - há 130 anos, havia sido a França de Napoleão. O realismo socialista não conjuga com metáforas. Prefere a versão mitológica do triunfo em conseguir conter os nazistas graças à industrialização rápida e aos planos quinquenais, que permitiram um crescimento econômico e tecnológico que superaram a mais eficiente máquina militar da Europa.

O cerco de Leningrado durou 900 dias - de 1941 a 1944 -, sob ininterruptos bombardeios, que a isolou do resto da Rússia e a transformou num monte de escombros, debaixo de vociferações hitleristas de fazê-la sumir da face da Terra. Hitler não sabia que os tesouros artísticos do Hermitage, palácios e igrejas, bem como maquinários e equipamentos industriais, tinham sido evacuados na direção leste, sabe Deus em que cova. Mais de 660 mil pessoas morreram a bala ou por disputa de cartões de racionamento ou por um pão francês vagabundo e duro - alimentar-se de ratos ou o canibalismo era uma alternativa. Encarniçada a disputa pela posse de cada casa, fábrica e edifício em ruínas, o território conquistado num dia era perdido no seguinte.

Terrível o custo em vidas humanas na 2ª Guerra Mundial - os russos informam que contribuíram com 27 milhões. Os Aliados nunca reconheceram, na exata medida, a estoica resistência na batalha de Stalingrado como uma epopeia, um marco na vitória contra o nazismo, a senha para intensificar os movimentos de insubmissão nos países ocupados. O destino da Europa teria sido outro, com os Aliados colhendo no Dia D um fracasso rotundo, se não fora pelo avanço decidido e vigoroso das tropas soviéticas através do flanco oeste. Foram os primeiros a adentrar Berlim para explodir o símbolo da águia na cúpula do Reichstag (Parlamento alemão), salvando a Europa mais uma vez - há cerca de 700 anos, como anteparo a livrá-la da sanha dos mongóis; a partir de 1944, como um aríete a fustigar os alemães, forçando-os a recuar.

Mais uma nação que explorava a visão aguda da águia para nortear seu rumo, o que não impediu Hitler de suicidar-se em 30 de abril de 1945, ao não aguentar a humilhação da derrota e da ocupação de Berlim pelos bolcheviques, conforme os chamava. O último comunista que tumultuara Berlim havia sido ela, Rosa Luxemburgo, assassinada em 1919 por futuros nazistas. "Uma mentira contada 100 vezes torna-se verdade", proclamava Goebbels, o propagandista de massa do nazismo que ditava regras sobre o que as instituições educacionais deveriam ensinar, no desenrolar do sonho do Reich de mil anos de Adolf Hitler. Sacrificou seus seis filhos antes de também se suicidar.

Berrante a injustiça na transcrição da página heroica dos comunistas na História Oficial, ao se conferir exclusividade no patriotismo aos soldados aliados na defesa dos valores democráticos contra o nazifascismo, apenas porque o comunismo representava erva daninha - o flagelo de uma epidemia no inconsciente coletivo do chamado mundo livre.

De pouco valeu a guerra de propaganda capitalista. O resgate da pátria invadida valorizou o patriotismo soviético na defesa do mundo comunista. Conferiram a Stalin o galardão máximo de herói da guerra e rebatizaram Leningrado de Stalingrado. Se era paranoico ou esquizofrênico, ou se, por isso, conseguiu governar tanto tempo ao eliminar toda e qualquer oposição que sobressaísse, pouco importa agora, ao verem a foice e o martelo tremularem no mastro.

Nada como uma boa guerra para alavancar uma economia à custa de mortos e inválidos, ao rearranjar a sociedade abrindo espaço para que a geração herdeira liberte seu talento e construa sobre a realidade em ruínas. Jogaram as divergências e mazelas debaixo do tapete, quando expulsaram mais um invasor de olho no latifúndio siberiano. Na iminência de rasgarem em pedacinhos a honra da pátria, uniram-se em defesa de seu solo e acabaram por fortalecer mais ainda o comunismo, misturando aos despojos de guerra as cinzas dos expurgos.

Virada a página bolchevique. A União Soviética era o país mais poderoso da Europa e da Ásia, posição que Stalin se apressou em reforçar erigindo barreiras de proteção compostas por países forçados a serem comunistas sob o guarda-chuva da Mãe Rússia. Na conferência de Yalta, Roosevelt e Churchill reconhecem tacitamente a Stalin uma "zona de influência" nos países da Europa Oriental, deixando sob seu controle Alemanha Oriental, Polônia, Tchecoslováquia, Hungria, Romênia, Bulgária, Iugoslávia e Albânia.

A vulnerabilidade aos invasores estrangeiros - de Gengis-Khan a Napoleão e Hitler - legou uma herança de extremos cuidados quase paranoicos, deixando em segundo plano a preocupação com a dissensão e subversão doméstica. Em período de *détente*, é de bom alvitre proteger a fronteira ocidental, outrora desguarnecida, com os países-satélites à frente. Na retaguarda, as repúblicas do Báltico, alinhavadas à Carélia, conquistada à Finlândia para garantir o acesso ao Mar Branco até Murmunsk no extremo norte, o que implicou na evacuação de 400 mil finlandeses. No miolo, as repúblicas da Bielorrússia, Ucrânia e Moldávia. Ergue-se a Cortina de Ferro. Na prega, costurou-se Geórgia, Armênia e Azerbaijão.

Toda cautela é pouca. Afinal, lituanos, estonianos e letões saudaram com flores a passagem da armada hitlerista a caminho de Leningrado, numa paródia a Jesus Cristo aclamado no Domingo de Ramos - um dos equívocos mais grosseiros cometidos por países nanicos à sombra de potências na escolha de seu libertador. Búlgaros, romenos e húngaros fizeram das suas: servindo de bucha de canhão, marcharam contra os russos. Nada mais natural o troco, em se tratando de uma guerra mundial que pretendeu fatiar a União Soviética.

De 1947 a 1950, é dada a partida na Guerra Fria, com Stalin patrocinando a difusão das glórias do socialismo e estendendo sua área de influência até a China, que se tornara comunista. Iniciou uma política de culto à sua personalidade, através de maciça propaganda, sob os auspícios de som e luz da explosão da primeira bomba atômica. Permanentemente ao seu lado, Beria tornou-se o *alter ego* do seu chefe.

Beria não fazia parte da geração de revolucionários que lutou contra o czar. Mas era georgiano como Stalin e, na condição de líder do Partido na Geórgia, conquistou sua confiança. Na chefia da NKVD desde 1938, Beria tornou-se responsável pelos serviços de espionagem e contraespionagem, bem como pela segurança interna, o que significou a tortura e execução dos "inimigos do povo" antes e durante a 2ª Guerra. Também comandou os *gulags*, supervisionou a transferência do parque industrial à medida que os alemães avançavam, e controlou o projeto soviético da bomba atômica. Esta simbiose teve fim com a morte de Stalin em 1953, quando foi executado ao almejar ocupar o trono.

Stalin foi um divisor de águas. O responsável pela transformação de um país superatrasado em uma superpotência nuclear. Apesar da violência institucionalizada que o classificam como o Gengis-Khan do século XX. Sem levarmos em conta o desmoronamento do czarismo, a 1ª Guerra Mundial, a entrada do comunismo em cena, o conflito entre vermelhos e brancos, o desmantelamento da economia diante da nova ordem econômico-social, em pouco menos de 30 anos o socialismo fez da União Soviética uma das maiores forças econômicas e militares do planeta. Um período marcado por uma grande centralização de poder nas mãos de Stalin, que elevou o nível cultural e técnico, bem como promoveu reformas que melhoraram em muito as condições de vida da maioria da população soviética - a despeito de tê-los marcado a ferro e fogo através da poderosa burocracia da administração pública controlada pelo Partido Comunista.

CAPÍTULO 10
A SUPREMACIA COMUNISTA

A KGB surgia no cenário da Guerra Fria que dividiu a Europa em dois blocos. De um lado, as forças da OTAN - Organização do Tratado do Atlântico Norte -, criada em 1949. Do outro, Moscou tratou de unir os países-satélites no Pacto de Varsóvia em 1955. A KGB passou a operar dentro da organização do próprio Estado e do serviço secreto desses países, no controle de informações na imprensa e nas associações de trabalhadores - uma sombra onipresente em todas as ramificações da sociedade. Sua maior proeza, erguer o Muro de Berlim em 1961.

Havia agentes espalhados por todos os países do mundo, fosse qual fosse sua importância, bem como nas principais corporações americanas. Se a URSS não tivesse roubado da Inglaterra o segredo da bomba atômica, não teria conseguido detoná-la em 1949, o que impediu os Estados Unidos de usá-la na guerra da Coreia. O serviço secreto soviético se valia de meios inconfessáveis para ganhar tempo na Guerra Fria; uma competição acirrada entre dois sistemas - capitalismo e comunismo - que não podiam coexistir. O medo é o melhor meio de dominar o inimigo, acreditavam.

Em 1956, Nikita Kruschev, como o novo homem forte do regime, choca o mundo comunista e surpreende o mundo capitalista ao denunciar os abusos da era stalinista em pleno Congresso do Partido, condenando publicamente o dogmatismo, o extermínio dos adversários julgados contrários à causa socialista e o culto à personalidade - Stalin, de endeusado a bode expiatório. Inicia-se o processo de desestalinização do regime, almejando que olhassem o comunismo com outros óculos, na medida em que a confissão implicava na renúncia às formas brutais de repressão e abria uma passarela para que pudessem desfilar todas as maravilhas criadas pelo brilhantismo intelectual dos comunistas. A ênfase agora é a de melhorar o padrão de vida, apenas visível e aceito se traduzido em abundância de bens de consumo na sala de visita e cozinha da célula familiar.

Boa parte do sucesso econômico da URSS se deveu a uma sólida base em pesquisas científicas e tecnológicas. Milhões de pesquisadores em estudos avançados em milhares de laboratórios experimentais, de Moscou à Sibéria, atraíram a juventude para a ciência. Em 1957, a URSS experimenta com êxito um míssil balístico intercontinental e lança o Sputnik, o primeiro satélite artificial da Terra. Imediatamente seguido por outro, a primeira vida no espaço, a cadela Laika. Em 1959, a primeira alunissagem não tripulada. Em 1961, o primeiro voo orbital tripulado em torno da Terra. Yuri Gagarin ganhara o duelo - o herói puxara a arma antes e atingira o orgulho americano. Em 1965, o primeiro passeio no espaço sideral. O físico Sakharov desenvolve a produção de energia nuclear em condições seguras e descortina um futuro mirabolante no campo energético e da saúde, ao tempo em que a tecnologia a laser avança.

Gagarin e o Sputnik

Comunista que se preze é dialético - refuta veementemente o que afirmara no minuto anterior. Os anos Kruschev foram plenos de contradições. Interveio-se na Hungria (1956) ao mesmo tempo em que se esfriou as relações com a China, sendo-lhe cortado o fornecimento de petróleo quando Mao Tsé-tung se irritou diante do namoro da URSS com os tigres capitalistas - era uma no cravo, outra na ferradura. O comunismo se espraiava pela Ásia (Coreia, Vietnã), África (Angola, Moçambique), Oriente Médio (Iêmen) e Cuba, transformando a América Central num barril de pólvora. No entanto, na crise dos mísseis em Cuba - exigência dos Estados Unidos pela desativação por estarem direcionados para seu país -, os soviéticos puseram as barbas de Fidel de molho, ao recuarem perante a ameaça da guerra nuclear, removendo a base instalada na ilha.

Ao pretender ser um ideólogo do nível de Lenin, Kruschev quis purgar a culpa de incontáveis comunistas do mundo inteiro de que a União Soviética seria outra sob a inspiração leninista. Revelaria uma imagem dissociada do terror - assim reza o devaneio irrefreável condicionado ao "se". Uma chance perdida em humanizar o sonho do igualitarismo.

Tentativa infrutífera de Kruschev, já que Stalin fulminara com essa ladainha de berço na formação dos jovens, promovendo a evolução educacional através dos princípios revolucionários comunistas, que não comportavam ensino de elite. Mas não se pode minimizar as diferenças na formação de Lenin e seus afins, se confrontadas com o forno que moldou Stalin. E Kruschev, cujo brilhareco maior foi parodiar Charles Chaplin no filme *Em Busca do Ouro*, estilizando a cena da dança dos sapatos, ao tamborilar com os seus grosseiramente na mesa, em plena ONU, a pretexto de opor-se à ordem internacional e chocar a burguesia.

De qualquer modo, se berço é elitismo ou não, Lenin era um intelectual a serviço de uma causa. Stalin era um burocrata a serviço do proletariado. O mito versus a concretude do realismo soviético em ter que implantar a célula *mater* de uma ideologia que extinguia a propriedade privada, o lucro, os juros, a Igreja e os privilégios que perpetuavam as desigualdades. Proletarizar a sociedade e eliminar a aristocracia que gera o doce charme da burguesia, responsável por uma canhestra visão de querer ser dono de si para se alçar a dono de tudo. Uma tarefa, portanto, para Deus. Como Stalin era ateu e agnóstico, tarefa à altura de um czar, caráter predominante na ecologia política da Rússia. Como no antigo império, a nação governada por uma elite autocrática.

Em 1964, Kruschev é deposto do poder e substituído pelo neostalinista Leonid Brejnev, por haver exagerado no desmantelamento do culto a Stalin e no descrédito de companheiros do círculo stalinista, enquanto, como ex-membro, se preservava. O corajoso reconhecimento público dos pecados cometidos por Stalin deu margem a que os defensores da primazia do capital sobre o trabalho tentassem solapar a base histórica dos fundamentos do comunismo soviético. Brejnev fez das tripas coração para limpar o nome de Stalin na História.

O Estado, segundo Karl Marx, é um instrumento de opressão. O ideal seria uma sociedade onde trabalhadores e camponeses gerissem suas fábricas e terras, no meio dos quais o Estado se esvaneceria. Contudo, na URSS, o Estado era mais poderoso e autoritário do que em qualquer outra nação do mundo, sustentado por uma imensa máquina militar e um aparato onipresente de segurança interna, no qual o Kremlin controlava todos os detalhes da vida privada do cidadão.

O Estado era o coração, se não a alma da União Soviética, e o poder por trás do Estado era o Partido Comunista, com 18 milhões de membros recrutados em todos os segmentos da sociedade, o que garantia uma rápida ascensão profissional. Para manter na mais perfeita ordem o comportamento político, inclusive de comandantes do Exército, a KGB empregava 700 mil agentes, numa relação de 1 para 250 habitantes. Sem contar os colaboradores que delatavam qualquer acontecimento suspeito, como a visita de estrangeiros.

Um único homem, o Secretário-Geral do Partido, presidia o Secretariado - funcionava como Estado-Maior do Partido - e o Politburo, órgão executivo do Partido formado por 500 membros eleitos para representar todas as partes da URSS. Era o chefe supremo do poder, o líder soviético, o czar da cruzada contra o imperialismo burguês, o czar comunista.

Os valores que moldaram a Revolução Russa, impulsionando a nação à grande transformação social e política por que passou desde 1917, estavam sendo aviltados. À medida que o Estado foi se assenhoreando dos meios de produção, uma casta burocrática passou a controlar as massas em troca do crescimento da riqueza nacional, cuja redistribuição igualitária compensaria a supressão da livre circulação das ideias, a pretexto de protegê-las de golpes direitistas, burgueses ou capitalistas que reduziriam a pó o *status* adquirido. A pretexto de a fome e a miséria aviltarem mais do que o constrangimento no direito de ir e vir, mais do que arranhar as liberdades individuais.

A liderança soviética nunca tolerou qualquer atividade política nos países-satélites, o que poderia significar um enfraquecimento da fidelidade a Moscou. As opiniões políticas estavam sujeitas a um controle rigoroso. Qualquer desvio da linha do Partido, nocivo ao interesse da sociedade ou do Estado, colocava em risco a integridade do dissidente. Não foi por outro motivo que, em 1968, a União Soviética mandou as tropas do Pacto de Varsóvia invadirem a Tchecoslováquia para reprimir a "Primavera de Praga", os insurrectos a favor da liberdade de expressão.

A União das Repúblicas Socialistas Soviéticas teve sua supremacia reconhecida: o maior país do mundo, capaz de estar à frente dos países do Ocidente em todos os domínios, seja militar, científico, industrial, cultural, e de rivalizar com eles no plano político mundial. Valia-se do seu papel de líder mundial do comunismo para fortalecer sua posição, servindo ao mesmo tempo de baliza ideológica e fonte de ajuda para outros países ou facções políticas, a caminho do socialismo. Subiu ao pódio nas Olimpíadas de 1980 que organizou em Moscou, para exibir sua pujança, esplendor físico, recordes quebrados, arte e beleza na ginástica - o intelecto privilegiado na ciência do esporte. O ursinho-mascote Misha, o símbolo, que o diga.

CAPÍTULO 11
O DESMONTE DO COMUNISMO

Depois de completar, nas olimpíadas da política, uma verdadeira maratona para ver reconhecidos méritos no sistema comunista, é natural esmorecer, relaxar a posição de sentido, abrir a guarda e deixar furos na Cortina de Ferro, revelando máculas na reputação e defeitos de fabricação que ocultaram com tanto apuro.

O gigantesco esforço voltado para a Guerra Fria acabou por afetar consideravelmente a tecnologia dos produtos não militares, subdividindo as fábricas em três seções: militar, de exportação e doméstica. Às duas primeiras, tudo: bons salários, maquinaria moderna e rigoroso controle de qualidade. Quanto à última seção, ficava com o que sobrava. O que explicava a má qualidade e insuficiência dos bens de consumo. Com uma economia rigidamente entrelaçada e uma estrutura de comando altamente centralizada, o funcionamento se mostrou pouco ágil e ineficiente, aflorando a escassez, pois não havia como procurar outro fornecedor.

Em consequência, o indefectível mercado negro reassume seu posto, gera uma economia paralela e restabelece informalmente a iniciativa privada. Artigos clandestinos eram contrabandeados do Ocidente ou comprados de estrangeiros que os adquiriam nas *beriozki - free shop -*, quando não se utilizavam da máquina do Estado para aproveitar o segundo expediente na fábrica dentro da fábrica e produzir jeans, bolsas e jaquetas de couro sintético, óculos escuros, perucas e bijuterias. Pagando operários, contratando gerentes, subornando burocratas para superestimar matéria-prima e desviá-la para a confecção de produtos clandestinos, corrompendo outros para fingirem não ver.

Ofereciam participação nas vendas a fim de comercializar os produtos nas lojas e partiram para organizar pontos de vendas espalhados pelo país, desafiando o Departamento de Combate à Apropriação Indébita de Propriedade Socialista.

O uso do cachimbo faz a boca torta. O marxismo na URSS tornara-se um jargão oficializado que referendava o stalinismo como método de direção partidária - a imagem verdadeiramente representativa da ditadura do proletariado. Reproduzindo o mesmo erro cometido pelo Cristianismo, que cedeu lugar à ortodoxia convencional, conservadora e intolerante, onde a pureza de princípios dos apóstolos serviu de tapete para o desfile interminável da hierarquia aristocrática da corte papal.

A morte de Brejnev em 1982 lega para o futuro soviético uma gerontocracia, onde uma camarilha senil e ultrapassada, preocupada em receber homenagens, cravar medalhas no peito, colecionar automóveis raros e enaltecer a pátria de Stalin, não se deu conta da saturação que sucessivas intervenções no comando da nação estavam provocando. Tanto que repercutiu mal nos círculos esquerdistas a pressão sobre os dirigentes da República Popular da Polônia para interditar o movimento sindical Solidariedade - soou como a morte anunciada do comunismo.

Forçando Deus a intervir. Ele que se mantivera em silêncio ao longo da sanguinolenta epopeia comunista. Através de seu emissário, o papa polonês João Paulo II, o João de Deus, que propiciou à Polônia devolver a humilhação do Corredor Polonês e da ocupação dissimulada que beirava 42 anos, arvorando-a no papel de verdugo do comunismo.

A evolução dos fatos políticos e econômicos apontava para a globalização. O país que se excluísse se isolaria, ao não acompanhar *pari passu* o avanço da tecnologia - facilmente um continente poderia se transformar numa ilha. Os círculos concêntricos que espelhavam a expansão da União Soviética começaram a se desfazer, entrecruzando tendências, abordagens, modo de ver e de sentir, numa era de transição que desconstruiria o mito do saber monolítico, do monoteísmo ideológico e de se arrogar íntimo da Morte para dispor sobre a vida de concepções e seres inconvenientes ao *status quo* da ideologia adotada - qual mesma? Não foi por outra razão que se resolveu abortar na sala de operações de um moderno hospital a tentativa surrealista de se investir pela primeira vez no poder um chefe da KGB - Yuri Andropov em sequência a Brejnev.

Em abril de 1985, chegava ao poder Mikhail Gorbachev, o coveiro do stalinismo, com um amplo programa de reformas democráticas que, em poucos anos, mudaria sensivelmente a disposição geopolítica do comunismo no planeta. Declarou moratória nuclear unilateral no intuito de reduzir os arsenais atômicos. Abrandou a censura à imprensa, libertou os presos políticos e iniciou a retirada das tropas soviéticas do Afeganistão. Esvaziou as funções do Pacto de Varsóvia e desmilitarizou o teor das conversações internacionais sobre assuntos estratégicos.

Gorbachev normalizou o abastecimento de bens de consumo e aumentou a liberdade de expressão, ao popularizar a *Perestroika* (reestruturação do sistema econômico) e a *Glasnost* (transparência). A Guerra Fria esvaziou-se e a União Soviética entrou em agonia. A transição para a globalização não observou a mesma cautela e maturidade da China. No arder do confronto denominado Guerra nas Estrelas, o presidente e ator chinfrim Ronald Reagan levou a melhor à frente da derrocada do regime comunista. O que lhe custou o mal de Alzheimer no desfecho de sua vida - não se brinca impunemente com maldições na terra das matrioskas.

Multiplicaram-se os movimentos democráticos e milhares de alemães orientais começaram a deixar o país aproveitando o clima de abertura. As autoridades evitaram um enfrentamento para afastar o risco de um banho de sangue como o da Praça da Paz Celestial, em Pequim. Pagaram caro a tentativa de implantar uma sociedade inspirada na igualdade social, que revirou o mundo com Marx e suas teorias a desencadear ódios hidrófobos em interesses atingidos.

Em 1989, o Muro de Berlim é destruído a golpes de picaretas.

Muro de Berlim

É o fim do comunismo. Desmonta-se a União Soviética e as repúblicas ganham independência. Retorna-se à Rússia branca eslava, impregnada de báltico, turcomano, tártaro, turquestano e siberiano. A Igreja Ortodoxa volta ao convívio estreito com seu rebanho, mas permanece ortodoxa na tradição em manter os fiéis de pé na missa e na devoção aos santos - sentar desconcentra a fé. A KGB se desmobiliza para engrossar as fileiras da máfia russa e lhe proporcionar um toque de classe.

Ao examinar detidamente por uma semana a fio a fisionomia de Ivan, o Terrível, na galeria Tretyakov, um estudante retalha sua cara estampada num quadro sob o pretexto de desmontar seu espírito, que até hoje assombra a gênese russa.

Removeram o corpo de Stalin do mausoléu de Lenin e o enterraram nas muralhas do Kremlin numa discreta sepultura, valendo-se do mesmo processo que ele usou contra os seus adversários políticos. Rebatizaram cidades, praças e ruas - só não retocaram fotos oficiais. Limparam as prateleiras de bibliotecas e jornais de diretrizes e orientações stalinistas, para deixar no arquivo morto a repressão que castrou a audácia intelectual. Para esquecer nos porões a censura que caracterizou o comunismo.

Com Lenin, o destino do comunismo seria outro. Mas os tiros de Fania Kaplan mudaram a história. Lenin foi embalsamado para se transformar num mito, um ícone a exemplo da foice e do martelo. Deixou a esquerda órfã, à procura de uma ideologia para se viver, e o mundo à mercê do império que sobrou - os Estados Unidos.

A população russa diminuiu de 170 para 140 milhões de habitantes - resultado do desaparecimento maciço de velhos comunistas em virtude do recrudescimento do capitalismo, que os deixou descontentes, amargos, doentes, morrendo à míngua com um salário mínimo de 15 dólares. Muito embora o FMI tivesse avaliado os tesouros herdados do czarismo em 5 trilhões de dólares em função de empréstimos solicitados por Boris Yeltsin.

A força bruta e o totalitarismo personificado na alma de Stalin descrevem com rigor a história da Rússia, a Rússia de todos os czares, que construiu sua epopeia em meio a tantos mistérios. Ivan, Pedro e Lenin, todos mortos entre os 52 e 53 anos. O comunismo isolou do mundo a grande nação russa e afundou como o continente perdido da Atlântida. A alma de Stalin vagueia, sem rumo, pelas estepes da Sibéria. A cabala por ser revelada.

Tolstoi, no romance *Ana Karenina*, afirmou que toda felicidade se assemelha e todo infortúnio tem seu caráter particular. Na sua vida plena de adversidades, atormentado por crises existencialistas que o transformaram num crítico encarniçado dos poderes estabelecidos e da Igreja Ortodoxa, que o excomungaria, era a felicidade, ao contrário, que assumiria para Tolstoi uma singularidade especial. De nome Iasnaia Poliana (campo claro, em russo), a propriedade rural onde nasceu em 1828 e que frequentou até morrer, em 1910.

Por onde andou - Moscou, Cáucaso ou nas altas esferas da Europa -, cansou-se dos círculos aristocráticos e intelectuais, dessa horrível classe literária, reclamava. Era para Iasnaia Poliana que o conde Tolstoi se dirigia. Em busca de paz. Cercado de bosques e pequenos lagos, com uma bucólica casa no topo de uma pequena colina, Iasnaia Poliana é um lugar onde a felicidade parece muito próxima. Foi lá que escreveu seus romances mais famosos e consultou mapas para reconstituir as manobras militares dos exércitos franceses e russos, descritas em *Guerra e Paz*.

Em busca de uma verdade íntima de caráter místico, acabou por dedicar-se a uma vida de comunhão com a natureza e tornou-se um pacifista vegetariano, trajado como um mujique (camponês). Absteve-se de sexo e engajou-se em atividades filantrópicas. Convencido de que ninguém deve depender do trabalho alheio, buscou a autossuficiência e passou a limpar seus aposentos, cortar lenha, lavrar o campo e produzir as próprias roupas e botas. A contragosto, viu sua casa atrair discípulos que pretendiam viver segundo seus ensinamentos.

Por mais que tenha sido alvo constante de repressão, o povo russo ama o seu país. Juntos, passaram pelo czarismo, pela revolução comunista, por guerras e expurgos, conscientes da excepcionalidade de sua trajetória. O sofrimento revela a face da tragédia que mapeia a sua história e a sua alma. Venceram 500 anos de atraso, mas o planeta ainda não estava preparado para conquistar uma unidade que vencesse a injustiça que divide o mundo entre pobres e ricos, pusesse um fim às classes sociais e para sermos mais solidários uns com os outros.

POSFÁCIO

SOBRE A CAPA

"Rússia de todos os Czares" não é um livro elaborado para tomar partido pela ideologia capitalista ou comunista.

Constarem da capa a foice e o martelo em contraste com a águia bicéfala, símbolo do czarismo imperial e do regime republicano da Rússia de hoje, significa a evocação da violência, do autoritarismo, da sanguinolência e da brutalidade da Rússia ao longo de sua trajetória. O que não a impediu, paradoxalmente, de evoluir e se transformar em paradigma de nossa cultura universal.

Um patrimônio da Humanidade cuja natureza de sua arte transcendeu tempo e local, com sua ressonância conferindo um estranho poder. Seja no balé, no teatro, na literatura, na música clássica, na pintura ou no cinema de Serguei Eisenstein. O que a distinguiu das manifestações culturais de outros países, pois evocou a alma do povo russo entre o pique da exaltação e o abismo do desespero, alternando a alegria com a intensa melancolia, elevando a sensibilidade russa a uma humanidade que transpõe as barreiras políticas. E resultou na criação de fábulas, alegorias e histórias fantásticas que transformaram os cidadãos russos num dos maiores consumidores de cultura do mundo, medidos em livros, cinemas, teatros, museus, companhias de dança e amantes da música clássica e de ópera.

Embora os russos tivessem riscado Napoleão do mapa por ter se atrevido a invadir a Rússia, iniciando a associar a imagem de loucura ao general, comandante e ditador francês. Embora tivessem conspirado, premeditado, urdido e por vezes cometido variados atentados contra os czares a partir de 1825 - lembram-se daquela bomba sob forma de bola de canhão com um pavio curto que aterrorizava a todos? Além de terem triunfado na 2ª Guerra Mundial através da frente leste e entrado primeiro em Berlim, sob o comando do general Stalin.

Ainda que Stalin seja considerado um czar face à sua prática obsessiva de eliminar inimigos do regime, sejam os naturais ou os seus companheiros de forma antinatural, ele não foi mais czar do que os verdadeiros ungidos e batizados pela religião ortodoxa. Esses czares cometeram o maior crime: o de manter o povo russo imerso na ignorância, em regime de servidão, o que equivale à escravatura, até a segunda década do século XX. Bem como não acompanharam a Revolução Industrial em curso no mundo inteiro, deixando o país à míngua e passando fome.

Apesar de um público substancialmente grande eleger Stalin como representação maior do czarismo e um dos maiores assassinos de todos os tempos, o autor, embora reconhecendo seus desvios e constante assepsia no regime, não deixa de enfatizar os crimes dos outros czares. Contudo, não cabe meia medida em Stalin. Ou é para demonizá-lo ao compará-lo com a democracia americana, enfocado pelo viés da falta de liberdades individuais ou de expressão ou simplesmente de manifestar opinião contrária, ou por Stalin levar a cabo um regime de poder ilimitado e absoluto. Ou, visto por outro lado, é para reconhecer as inegáveis conquistas do comunismo que melhoraram fundamentalmente as condições de vida do povo russo, mesmo que a fórceps.

Na capa, o símbolo da foice e martelo em disputa pela supremacia com a águia bicéfala do todo-poderoso czar, encimando o exército alemão subjugado pelos soviéticos e dirigindo-se aos campos de prisioneiros sob a vista da população, entre extasiada e aliviada, a significar a metalinguagem do ideal comunista como o grande vitorioso na 2ª Guerra Mundial. Desde 1917 sendo enraizado e materializado pelos camaradas e companheiros, quando os bolcheviques liquidaram com o regime de privilégios garantido pela hegemonia da Rússia de todos os czares, expresso no cetro e na coroa da águia bicéfala. Na sequência, a maior luta de classes que o mundo jamais viu, na qual milhões de soviéticos morreram de fome durante o período de coletivização das propriedades agrícolas seguida de pesados expurgos nas camadas de dirigentes que queriam a cessação da vigilância ideológica, a conciliação das classes sociais e a melhora imediata do padrão de vida.

Numa segunda leitura, a metáfora da foice e martelo conversando com os soldados alemães aprisionados pelo regime comunista soviético, rompendo com a hegemonia nazista. Numa terceira leitura, lembrando o exército de Napoleão, que também foi derrotado pelo General Inverno, ambos pagando um preço caro por terem ousado invadir Moscou.

A linha editorial do livro procura noticiar, informar, apresentar dados, levantar polêmicas e abrir panoramas dentre diversas facetas para o leitor optar por qual apreciação fazer.

A águia bicéfala ao lado da foice e martelo, os símbolos de todas as Rússias, de toda a História da Rússia, da Rússia de todos os Czares.

FONTES CONSULTADAS

1) KNIGHT, Amy. *Quem Matou Kirov?*. Rio de Janeiro: Record, 2001.

2) VOLIN. *A Revolução Desconhecida* - Volume 1. São Paulo: Global Editora, 1980.

3) LESCOT, Patrick. *O Império Vermelho*. Rio de Janeiro: Objetiva, 1999.

4) CHANG, Jung. *Cisnes Selvagens*. São Paulo: Companhia das Letras, 1991.

5) MARTENS, Ludo. *Stalin - Um Novo Olhar*. Rio de Janeiro: Revan, 2003.

Este livro foi composto na tipologia
Minion Pro, em corpo 10,5
e impresso em papel pólen 80 g/m^2
1ª edição – julho de 2012.